EDAF

MADRID - MÉXICO - BUENOS AIRES - SAN JUAN

JOAQUÍN JAVALOYS

EL GRIAL SECRETO
DE LOS CÁTAROS

La historia oculta de un linaje

MUNDO MÁGICO Y HETERODOXO

© 2001. Joaquín Javaloys.
© 2001. Editorial EDAF, S. A. Jorge Juan, 30. 28001 Madrid.

Editorial Edaf, S. A.
Jorge Juan, 30. 28001 Madrid
Dirección en Internet: http://www.edaf.net
Correo electrónico: edaf@edaf.net

Edaf y Morales, S. A.
Oriente, 180, n.º 279. Colonia Moctezuma, 2da. Sec.
C.P. 15530. México D.F.
http://www.arrakis.es/~edaf
edaf@edaf-y-morales.com.mx

Edaf y Albatros, S. A.
San Martín, 969, 3.º, Oficina 5.
1004 Buenos Aires, Argentina.
edafal1@interar.ar

Edaf Antillas, Inc.
Av. J. T. Piñero, 1594
Caparra Terrace
San Juan, Puerto Rico (00921-1413)
E-mail: forza@coqui.net

Noviembre 2001

Depósito legal: M-47.535-2001
I.S.B.N.: 84-414-1003-8

PRINTED IN SPAIN   IMPRESO EN ESPAÑA

Iberica Grafic, S.L.

A mis hijos:
Marta, Miguel y Luis.

Índice

═══════

I

PREFACIO

E L GRIAL se puede llegar a conocer por la existencia de un antiguo magisterio esotérico. Algunos autores dicen que el Grial es una realidad física, pero otros mantienen que se trata de un ideal o de un modelo, e incluso hay quienes opinan que se refiere a un conocimiento misterioso o a un secreto, pero todos concluyen en que es algo positivo que fomenta el bienestar y la virtud.

El historiador Andrew Sinclair se ha referido [1] a la naturaleza del Grial subrayando que, tal como afirmaban los *romans*, el Grial es una cosa del espíritu. Su búsqueda es una cruzada para descubrir el alma y lo divino, así como la paz y la abundancia en la tierra.

Desde luego, como ha concluido Josep Guijarro [2], «el Grial es mucho más que un objeto, representa el conocimiento que (los templarios) supieron aplicar magistralmente en sus obras arquitectónicas, y representa, también, un código familiar que nos conduce al linaje de Jesús y los reyes davídicos».

Sea lo que sea el Grial, siempre lo caracteriza el hecho de que posee unas fuerzas supraterrenas que transmite a aquellos que llegan a merecer encontrarlo cuando cumplen ciertas exigencias.

Lo que hace que sigan hoy vigentes las leyendas griálicas y que conserven su poderoso atractivo es la certeza de que nos abren caminos que llevan —por medio del amor— a dar sentido a nuestra vida y, en último término, a la felicidad. En efecto, como ha dicho Antonio Regales [3], «el Parzival alumbra incontables caminos que forman parte no solo de la conciencia del hombre medieval, sino también de la del hombre en general y de la de nosotros mismos en particular. Las incon-

---

[1] Andrew Sinclair, *La Espada y el Grial,* Edaf, Madrid, 1995, pág. 95.
[2] Josep Guijarro, *El Tesoro oculto de los templarios,* Ediciones Martínez Roca, Barcelona, 2001, pág. 227.
[3] Introducción de «Parzival», de Wolfram von Eschenbach, Ediciones Siruela, Madrid, 1999, pág. 17.

tables *aventuras* de la obra son, en última instancia, los esfuerzos por construir nuestro propio *yo* y por conocernos mejor».

Las leyendas del Grial suelen tener una base real, y su fuente son ciertos relatos de hechos históricos o de las hazañas de héroes famosos y de su linaje, que se idealizan y que se describen encubiertamente en forma de epopeya. Para conocer lo mejor posible la realidad subyacente que tenían los *romans* sobre el Grial, es conveniente desde luego *trasladarse* mentalmente a la Edad Media y situarse en aquella época, en la que divulgar o sacar a la luz un tema tabú, como la identidad en la vida real de los héroes y protagonistas de los relatos griálicos, hubiera sido muy peligroso e incluso mortal tras la creación en 1233 de la Santa Inquisición, por el papa Gregorio IX. Entonces, y desde mucho tiempo antes, algunos historiadores, para decir la verdad y sobrevivir, tuvieron que recurrir a las *canciones de Gesta* y a los *romans* en los que narraron y expusieron, en forma esotérica e imaginativa, al menos una gran parte de la realidad comprobable documentalmente.

Hay que tener en cuenta que, ya en el siglo XII, la Iglesia había condenado la tradición del Grial, pero sin llegar a declararla herética, por lo que los *romans* tuvieron entonces que *cristianizarse,* como el «Queste du Saint Graal», del siglo XIII, que es una visión cisterciense del mito del Grial. Finalmente, esos *romans* pasaron a denominarse del «Santo Grial».

El secreto del Grial para los cristianos puede encontrarse en el conocimiento de que la felicidad se puede conseguir a través de la ofrenda de uno mismo al servicio de los demás por amor de Dios.

Pero existió también otro Grial *provenzal, pirenaico* o *mediterráneo,* que era un *Santo Grial secreto* para los cátaros, para ciertos judíos y para algunos cristianos, ya que a la idea medieval del linaje de David como la única Sangre Real legítima, se le había añadido entonces el componente social-religioso del catarismo. Ambas corrientes de pensamiento defendían la existencia de un mismo *Grial que,* a lo largo de este libro, *se irá revelando.*

Por ahora, solo adelantaremos que *el Grial provenzal o mediterráneo se basa en una tradición verdaderamente histórica.* Esto es lo que sugiere René Nelli cuando dice [4] que:

---

[4] En el epílogo titulado «El Grial en la etnografía» del *Parzival* editado por Siruela en 1999, pág. 412.

... es innegable, en definitiva, que Wolfram conocía bien el cuento francés del Grial. Pero es también indudable que en el relato de Wolfram von Eschenbach hay numerosos elementos —astrológicos o gnósticos— que no han sido tomados de Chrétien, y que parecen evocar, como pensaba el viejo Fauriel, una influencia «pagana» y oriental. Influencia que solo pudo manifestarse a través de Provenza o de un provenzal. Pero todo esto se mantiene en el plano de las hipótesis, y *el Grial «mediterráneo», suponiendo que haya correspondido a una tradición verdadera,* no se vincularía con «el otro», el auténtico, sino por el contexto legendario que les es común.

En fin, en esta obra, querido lector, se van a descubrir —en profundidad y con detalle— *las sorprendentes consecuencias de esta tradición verdadera* a la que se refiere René Nelli, que fue recogida esotéricamente en el *Parsifal* de Wolfram von Eschenbach en el que se relata el Grial *provenzal* o Santo Grial de los cátaros. Como se sabe, el mismo Wolfram, en el párrafo final de su *Parzival* dice que «... si el maestro Chrétien de Troyes no ha contado con toda la verdad esta historia, Kyot puede estar con razón enojado, pues *él transmite la verdadera historia.* El provenzal cuenta con precisión cómo el hijo de Herzeloyde consiguió el Grial, que le estaba destinado, después de que Anfortas lo perdiera. *Desde Provenza nos llegó la historia verdadera* y también el final de la narración. Yo, Wolfram de Eschenbach, no quiero contar más que lo que contó allí el maestro. *Os he presentado el distinguido linaje de Parzival y a sus hijos».*

Desde luego, para corroborar cómo el *Parzival* se refiere a hechos históricos y a personajes reales se ha de tener en cuenta la importante observación que hace Antonio Regales [5] cuando afirma que «es muy original en Wolfram la atención que presta al parentesco, que convierte en *algo fundamental de la obra.* La mayoría de los incontables personajes del *Parzival* son parientes. Sin embargo, se establecen claras prioridades: *los linajes* de Titurel, primer rey del Grial, y Mazadan *confluyen solo en Parzival».*

Ahora, amable lector, solo voy a anticipar que, como se verá más adelante en este libro, Titurel y Mazadan pueden ser identificados en

---

[5] *Ob. cit.,* pág. 16.

la realidad con dos personajes que vivieron en el siglo III: el héroe Titurel con el jefe de la Casa de David y exilarca de los judíos en Babilonia Nathan I; y el legendario Mazadan fue, históricamente, el antepasado de los merovingios Gonobaud, primer rey de los francos de Toxandrie. Por tanto, en el héroe Parzival o Parsifal confluyen verdaderamente dos estirpes, la de David y la de los francos y sus continuadores: los merovingios, los carolingios y los capetos, como efectivamente se verá en el apartado IV.2) de esta obra, donde se demuestra que *Parzival es el cátaro-judío Raymond Roger II Trencavel*, quien, para los judíos, era entonces *el jefe del linaje del Santo Grial*.

En definitiva, mi conclusión sobre la naturaleza o significado del Grial es que, *como existen diversos griales, unos son ficción novelada*, pero *otros son efectivamente objetos o hechos históricos que se presentan de forma reservada*, como la existencia del Santo Cáliz de la Última Cena de Jesucristo, que se encuentra en la Catedral de Valencia, o como *el conocimiento secreto*, que tenían los cátaros *perfectos* y los magnates judíos, sobre *los miembros del linaje de la real Casa de David* que se instalaron en Occidente, donde se formó la célula germinal de la alta nobleza y de la realeza que ha gobernado a Europa durante siglos, alguno de cuyos miembros siguen siendo actualmente jefes de ciertos Estados europeos, a título de rey o de reina, como he demostrado ya en otro libro [6].

Por su parte, Laurence Gardner afirma [7] lo siguiente:

> *Wolfram* (que también escribió sobre Guillermo de Gellone, rey de Septimania) *aseguraba que el manuscrito original de Flegetanis estaba en poder de la casa de Anjou*, aliada de los caballeros templarios. También afirmó que por las venas de Perceval corría sangre angevina...
>
> *La Demanda* identifica a Galaad (el hijo de Lancelot y la princesa del Grial) como «descendiente del alto linaje del rey David» y, aún más importante, asegura que entre sus antepasados se halla el rey Salomón.

Tal vez, el templario participante en la primera Cruzada conde Hugo de Champagne, o *el caballero cruzado Foulques de Anjou*, que

---

[6] Joaquín Javaloys, *El origen judío de las monarquías europeas,* Edaf, Madrid, 2000.

[7] Laurence Gardner, *La herencia del Santo Grial,* Grijalbo, Barcelona, pág. 297.

eran davídico-carolingios, habían encontrado en Jerusalén o conocido algún documento sobre la instalación en Francia del jefe de la Casa de David Makhir-Teodoric en el siglo VIII y habrían transmitido el contenido y el alcance de su hallazgo al Priorato de Sión, que se encargó de proteger la *Sangre Real,* especialmente en el caso de *los hijos del Grial.* Por tanto, *el mito del Santo Grial provenzal es,* efectivamente, *una historia oculta* que constituye *el gran secreto de los cátaros.*

En este caso, como en tantos otros, toda la verdad no se encuentra en los libros de historia, por lo que hay que buscar la parte restante de esa verdad en los *romans* sobre el Santo Grial, donde se divulgó esotéricamente el gran secreto de los cátaros. Al fin y al cabo, la historia que suele difundirse es la historia *oficial,* o sea, la historia contada por los cronistas de los vencedores y de los poderosos sobre la existencia y la resolución de los conflictos militares, religiosos y, en general, sociales. Por eso, con frecuencia, la historia *oficial* suele ser un relato incompleto y parcial de los hechos que ocurrieron en la realidad.

En la búsqueda del Grial es conveniente tener en cuenta previamente que Laurence Gadner afirma concluyentemente [8] que «dejando a un lado copas y piedras, la importancia del Grial reside en su acepción como Sangréal. De ella proceden las formas *San Gréal = San Graal = Saint Grail = Santo Grial*».

A su vez, el perspicaz autor Andrew Sinclair ha puesto también de manifiesto la estrecha correlación existente entre el Santo Grial entendido como *Sangre Real,* y la que hay entre el linaje real del Grial y los reyes europeos descendientes de David y de Salomón, como se dice expresamente en el *roman* titulado *La Queste du Saint Graal.*

En fin, ahora parece oportuno que se haga la precisión de que *no todos los reyes tienen Sangre Real.* Por supuesto, por las venas de todos ellos sí que corre sangre regia, pero solamente algunos tienen Sangre Real. En cambio, otras personas que no son reyes poseen también Sangre Real —como San Guillermo de Gellone—, pues pertenecen a *la realeza elegida* por Dios, que comenzó en el rey David y que continuó por los sucesores de su estirpe, a los que algunos llaman Rex Deus. En efecto, Christopher Knight y Robert Lomas, en su obra *El segundo Mesías,* se refieren a una sociedad secreta integrada por per-

---

[8] *Ob. cit.,* pág. 306.

sonas de linaje real que existe desde los tiempos del rey Salomón: la «Rex Deus» (Reyes de Dios) o «Hijos de Zadok». Entre sus primeros miembros están el propio Salomón y su suegro Hiram Abif, maestro constructor del Templo.

Por lo tanto, *los reyes que no son descendientes de David no son de Sangre Real, aunque sí que tienen,* obviamente, *sangre regia.* En cuanto a la jefatura de la real Casa de David no tiene que detentarla necesariamente un rey, pues en cada generación Dios renueva su alianza con la Casa de David eligiendo a un sucesor que no ha de ser siempre, aunque suele serlo generalmente, el hijo primogénito. Existe el precedente de que Salomón sucedió a su padre David, a pesar de que el primogénito davídico era Adonías, pero Dios prefirió a Salomón.

En definitiva, *el linaje de la Sangre Real* lo integran solamente personas de la estirpe de David, sean o no reyes en ejercicio. Sin embargo, como Jesucristo «el hijo y señor de David», es *el Rey eterno,* después de Él, los reyes que ha habido y que habrá son meros *lugartenientes* Suyos, que pueden ser o no de la estirpe de David; es decir, tener o no Sangre Real.

Para conocer las hazañas de los miembros del linaje del Santo Grial en la Edad Media es conveniente tener en cuenta la conclusión a que llegué en mi libro titulado *El origen judío de las monarquías europeas,* donde se vió cómo el jefe de la Casa de David Makhir-Natronai-Teodoric se estableció en Narbona el año 768 y allí instauró el Principado judío autónomo de Septimania. En efecto, Zuckerman afirma [9] que «el rey Pepín y sus hijos segregaron un territorio en el sur de Francia en el año 768 destinándolo a Principado judío. Su líder o gobernador (llamado nasi, patriarca) fue Natronai-Makhir, un anterior exilarca de los judíos en Bagdad y un erudito príncipe de la Casa real de David».

En el siglo VIII los reyes carolingios hicieron una *alianza de sangre* con Makhir-Natronai, quien recibió como esposa a la princesa Auda Martel, hermanastra de Pepín «el Breve», emparentando así al máximo nivel con los carolingios. En Guillermo de Toulouse o de Gellone, el hijo del patriarca Makhir-Natronai, confluyeron el linaje

---

[9] Arthur J. Zuckerman, *A Jews Princedom in Feudal France,* 768-900, Columbian University Press, 1972, pág. 100.

real de David y la estirpe de los pipínidos o carolingios. Guillermo era verdaderamente el jefe del linaje de la Sangre Real.

Los descendientes de Makhir-Teodoric, nasi de Francia y príncipe de Septimania, formaron la Casa de los David-Autun-Toulouse. Se conocen los nombres de los tres hijos que le dio Auda: Guillermo de Toulouse, Berta (o Bertana) y Auda (o Aldana). En cambio, los nombres de los hijos que tuvo con otras esposas, o bien se desconocen o bien existen dudas sobre los mismos, pues algunos pueden estar incluso duplicados al ser citados tanto en hebreo como en francés: Chorso, Aymo (o Haim), Sibille (¿Blancaflor?), Teodoric (Thierry), Redburh... En total, *de sus matrimonios parece que tuvo cinco hijas y, por lo menos, tres hijos.*

Entre los descendientes de Makhir-Teodoric y los carolingios se celebraron numerosos enlaces matrimoniales que unieron ambas dinastías reales, integrándose sus vástagos *en una nueva familia davídico-carolingia que se dividió en varias ramas*, en su mayoría cristianas, pero una era judía ortodoxa y estaba integrada por los nasis de Francia: Guillermo de Toulouse, su hijo Bernard de Septimania... En definitiva, con esa *alianza de sangre* entre los davídicos y los carolingios *se había realizado la ambición carolingia del establecimiento de su Dinastía como sucesores de los reyes de Israel, tras el acto de vasallaje de Makhir-Natronai al emperador Carlomagno,* líder secular de la Cristiandad.

Se cree que el conde de Albi, Aymo, era el hijo primogénito de Makhir y de su primera esposa, que era judía, pues nació cuando Makhir todavía vivía en Bagdad. A Aymo le sucedió a su fallecimiento, como titular del condado, su hijo Ermengaud. Una hija de Ermengaud, cuyo nombre es desconocido, se casó con Bernard de Septimania que era nieto de Makhir-Teodoric y nasi de Francia. De este matrimonio descienden, como se verá en el apartado II.2) de esta obra, los famosos Trencavel, vizcondes de Albi, Béziers y Carcassonne, que tuvieron un destacado protagonismo en la época de la represión contra los herejes cátaros. El penúltimo de los Trencavel es el legendario Perceval o Parsifal de los *romans* sobre el Santo Grial.

Por su parte, L. Gardner ha puesto de relieve [10] que «en las historias relacionadas con el Grial existe un considerable número de nom-

[10] *Ob. cit.,* págs. 231 y 234.

bres relacionados con el judaísmo o con aparentes implicaciones judías: Josefes, Lot, Elinant, Galaad, Bron, Urien, Hebrón, Pelles, Joseus, Jonás, Ban, etc. Además, hay muchas referencias a José de Arimatea, al rey David y a Salomón. Incluso se menciona al sacerdote Judas Macabeo... Han sido muchos los que, a través de los años, han hallado extraño que este héroe de la nobleza judía sea tratado con tanta deferencia por la, en apariencia, cristianizada historia del Grial...».

En este libro se va a relatar en su totalidad, por primera vez, *la historia oculta de la auténtica Sangre Real*, siguiendo paso a paso hasta nuestros días, la singular andadura de *los miembros del linaje del Grial*, que algunos identifican con la familia denominada *Rex Deus*. Para ello, voy a especificar, con nombres y apellidos, los personajes de la vida real que corresponden a cada uno de los héroes legendarios y de los protagonistas que aparecen en los *romans* del Santo Grial, descubriendo así lo esotérico que contienen esos relatos, sobre todo en lo referente a quiénes son las personas integrantes del linaje del Grial.

A lo largo de la historia, los cristianos y los judíos han discrepado frecuentemente sobre quiénes eran los integrantes del linaje davídico de la Sangre Real. En la Alta Edad Media estuvieron de acuerdo en que el jefe de la Casa de David era Guillermo de Toulouse, el hijo de Makhir-Teodoric y de Auda Martel. Pero las discrepancias comenzaron cuando Guillermo se convirtió al cristianismo, se hizo monje y fundó un monasterio al que se retiró. La Iglesia lo canonizó con el nombre que se le conoce: San Guillermo de Gellone. Para los judíos, el sucesor de Guillermo como nuevo jefe de la Casa de David fue su hijo menor, el nasi Bernard de Septimania, pues se había casado en segundas nupcias con N d'Albi, una mujer hebrea pariente suya.

Durante la era cristiana, la historia de la Sangre Real ha presentado algunos *hitos* sobresalientes: se trata de *cuatro personajes en los que converge y se manifiesta la davídica Sangre Real*, como se verá a lo largo de esta obra. *Todos ellos pertenecen al linaje del Santo Grial.* Son los siguientes:

1. El mencionado San Guillermo de Gellone o Guillermo de Toulouse, conocido legendariamente también por Guillermo de Orange.

Es hijo del davídico nasi judío de Francia Natronai-Makhir-Teodoric (Thierry) I de Autun y de la cristiana Auda Martel, de la familia de los pipínidos o arnules (más tarde, los carolingios). En Guillermo convergen los linajes davídico y carolingio. Es aceptado como jefe de la estirpe de David por los cristianos y por los judíos.

2. El rey de Francia Hugo Capeto.

Es el robertino fundador de la dinastía de los capetos. Pertenece al linaje davídico-carolingio, pues desciende de San Guillermo de Gellone, del rey Bernard de Italia y de algunos emperadores del sacro Imperio Romano-Germánico [11].

Es reconocido como jefe de la Casa de David solamente por los cristianos.

3. Raymond Roger II Trencavel, el famoso y legendario Parsifal o Perceval de los *romans* sobre el Santo Grial.

Este Trencavel desciende de los nasi judíos de Francia Makhir-Teodoric, Guillermo de Toulouse y Bernard de Septimania, pero en él converge asimismo la Sangre Real, pues procede también del rey de Francia Hugo Capeto, ya que es biznieto del rey Luis VI de Francia. En Parsifal convergen indudablemente los dos linajes de los legendarios Titurel y Mazadan.

Es el jefe de la estirpe de David para los judíos y el rey del Grial para los cátaro-judíos, para los cátaros *iniciados* y para muchos cristianos.

4. Enrique de Borbón, IV rey de Francia y III de Navarra.

En él converge definitivamente la jefatura del linaje de la Sangre Real, tanto el aceptado por los cristianos como el reconocido por los judíos. En efecto, el fundador de la dinastía de los reyes Borbones desciende, por un lado, de Hugo Capeto por San Luis IX de Francia y los duques de Borbón y, por otro lado, de los nasis judíos de Francia Guillermo de Toulouse y Bernard de Septimania por los Trencavel, los condes de Foix y los Albret de Navarra, como se verá en el último capítulo de este libro.

De estos cuatro personajes, San Guillermo de Gellone y Raymond Roger II Trencavel son dos excepcionales héroes de *canciones de Gesta* y de *romans,* precisamente por su condición de *jefes del linaje del Santo Grial.* Los otros dos, Hugo Capeto y Enrique de Borbón,

---

[11] Joaquín Javaloys, *El origen de Hugo Capeto,* artículo publicado en la revista *Historia 16,* n.º 297, enero de 2001, págs. 30 a 45.

son los fundadores de las dinastías francesas más famosas de Occidente, pues algunos de sus descendientes continúan reinando en ciertos Estados europeos, lo que confirma *la perdurabilidad de su linaje: el de la davídica Sangre Real* que, en último término, posee el *derecho divino a gobernar* que algunos aceptan todavía.

Con la identificación de estos cuatro personajes, se ha comenzado a descubrir *el gran secreto de los cátaros,* que era *la existencia —en unas personas identificables— del linaje del Santo Grial o de la Sangre Real descendiente de David.* Este secreto era conocido también por algunos aristócratas judíos y por ciertos prelados occitanos de la Iglesia de Roma. Para el pueblo llano era algo desconocido, salvo excepciones.

Por supuesto, algunos obispos de la Iglesia de Roma en el Languedoc sí que conocían desde tiempo atrás el origen judío davídico de algunos nobles occitanos, como los Trencavel o sus parientes los condes de Toulouse y los de Foix. Por ello quisieron aprovechar la herejía de los cátaros para eliminar o debilitar a sus protectores, que eran magnates rebeldes y judaizantes, especialmente a Raymond VI de Toulouse. Pero los prelados occitanos de la Iglesia romana no se olvidaban tampoco del cátaro-judío Raymond-Roger II Trencavel (el legendario Parsifal), que fue asesinado misteriosamente por los cruzados en 1209 —dejando solo un vástago varón de cuatro años—, y a quien habían desposeído de sus dominios, especialmente de Béziers y de Carcassonne. Debe recordarse aquí que *este Trencavel, como jefe de los judíos, daba siempre prioridad a la defensa y protección de los mismos.* En efecto, un buen ejemplo de ello es que, según dice René Nelli [12], cuando los cruzados asediaban Béziers, «... el vizconde Trencavel se retiró de la plaza llevándose con él a todos los judíos de la villa, pues temían muchísimo el antisemitismo de la Iglesia...».

En fin, como se sabe, la lucha contra los herejes cátaros se llevó a cabo mediante dos cruzadas: la primera, que duró de 1209 a 1224, que fue dirigida por Simón de Montfort y, a su fallecimiento, por su hijo Amaury; la segunda, inicialmente capitaneada por el propio rey de Francia Luis VIII hasta que murió, duró de 1226 a 1229. Finalmente, después de veinte años de guerra, se logró una inestable paz con el juramento de acatamiento que hizo Raymond VII de Toulouse en

---

[12] *Ob. cit.,* pág. 31.

París. Esa *paz con la Iglesia y con el rey* no era, sin embargo, el final del catarismo y de los herejes, que iban a proseguir su lucha para sobrevivir.

En todo caso, ha de tenerse en cuenta que si bien tras la caída del castillo de Montségur había empezado la agonía del catarismo, sin embargo entonces paradójicamente la epopeya de Perceval o Parsifal, personificada en la familia del Grial, se popularizó más todavía, ya que, según la leyenda, Esclarmonde, hermana de Perceval, se convirtió en *la guardiana del Santo Grial*. En la realidad lo fue Esclarmonde de Foix, tía de Perceval. Lo que querían decir esotéricamente los *romans* es que, *cuando desapareció la dinastía de los Trencavel, la jefatura del linaje del Santo Grial o de la Sangre Real pasó a la familia de los condes de Foix, simbolizada en su guardiana cátara, Esclarmonde de Foix.*

Desde luego, en las luchas de los cruzados contra los cátaros se logró aniquilar el poderío feudal de la dinastía de los Trencavel, pero *ni la Iglesia ni el rey de Francia pudieron eliminar la rama judía del linaje del Grial, que iba a continuar con los parientes más próximos de los Trencavel,* que eran *los condes de Foix*, en cuya familia había tanto cristianos judaizantes como cátaro-judíos.

Por otra parte, es indudable que, como se verá a lo largo de este libro, existió una profunda interrelación esotérica entre los cátaros, los judíos y los cristianizados *romans* del Grial. Además, se cree que hubo asimismo una correlación entre las actividades públicamente conocidas del Temple y otras que se hicieron ocultamente, tal vez por disposición del *Priorato de Sión*, que ejercía un cierto poder sobre los grandes maestres y sobre los dignatarios de la Orden.

El objetivo inicial del Priorato de Sión fue el mantenimiento en el gobierno de los reinos cristianos, incluso Jerusalén, del linaje de la Casa del rey David (la única Sangre Real que reconocían), *protegiendo y conservando cuidadosamente a los miembros de la estirpe davídica.* Este *objetivo,* que puede ser calificado como *una misión paralela y oculta de los templarios,* era promovido por algunos magnates pertenecientes al linaje davídico-carolingio. Cuando Hugo de Payns fundó el Temple, con otros ocho compañeros, era también Gran Maestre del Priorato de Sión. Por consiguiente, los guardianes del Grial secreto de los cátaros fueron el Priorato de Sión y los templarios.

Durante algunos siglos el Priorato de Sión fue integrado y dirigido por personas pertenecientes a diversas ramas cristianas de una sola familia: la davídico-carolingia, también llamada legendariamente *el linaje del Grial*.

En efecto, en el apartado V.3) de esta obra se incluye un cuadro genealógico que demuestra que, en la Edad Media, los grandes maestres del Priorato de Sión fueron siempre miembros de diversas ramas de la misma estirpe davídico-carolingia, por lo que estaban unidos por un estrecho parentesco. Estas ramas fueron, cronológicamente, las siguientes: Vermandois, Valois, Flandes, Chaumont, Boulogne, Champagne, Saint Clair, Gisors, la casa real Capeto, Bar-le-Duc, la casa real Valois y sus parientes Anjou. Entre estas ramas cristianas de los davídico-carolingios se encuentran los miembros del misterioso y todopoderoso Priorato de Sión medieval. Sus grandes maestres pertenecieron a los siguientes linajes: los Boulogne (Bouillon), los Gisors, los Saint Clair, los Bar-le-Duc y los Valois-Anjou. Por todo ello, algunos autores afirman que el gobierno del medieval Priorato de Sión fue siempre «un asunto de familia».

Por otra parte, cuando desapareció el Temple, el Priorato de Sión asumió toda la responsabilidad de conservar el linaje del Grial, pues los sucesores de los templarios, masones o no, eran incapaces de proteger efectivamante a los miembros de la estirpe de la Sangre Real o Rex Deus, quienes acabaron agrupándose y concertándose en ciertas órdenes de caballería exclusivas o restringidas, especialmente en la Orden del Toisón de Oro y en la de la Jarretera.

Sobre la Orden del Toisón de Oro ha de subrayarse que, como ha puesto de relieve Umberto Eco en *El péndulo de Foucault*, «no es coincidencia que la mayor orden de caballería de la historia sea el Toisón de Oro... Es el castillo hiperbóreo donde los templarios custodian el Grial, probablemente el Montsalvat de la Leyenda».

De otro lado, para seguir brevemente la trayectoria vital histórica de la rama judía del linaje del Grial se ha de tener en cuenta que, como se ha dicho anteriormente, al morir el último Trencavel sin hijos legítimos, el linaje de la Sangre Real continuó, conforme al derecho hereditario, por los sucesivos condes de Foix hasta que el cristiano Gastón IV se casó con la princesa Leonor, hija de Juan II rey de Aragón y de la reina Blanca de Navarra. Entonces se consolidó definitivamente la unión entre la Casa de los condes de Foix y la Casa real de Navarra.

De esta forma, *los soberanos Foix-Albret de Navarra fueron los portadores de una Sangre Real que, junto a la también Real de los capetos y los valois, llegó a converger en Enrique de Borbón y de Albret*, el fundador de la perdurable dinastía de los borbones, a quien, por tanto, le correspondió la jefatura del linaje del Santo Grial.

En resumen, *tanto para los cristianos como para los judíos, Enrique IV de Francia era el legítimo sucesor y el jefe del linaje de la Sangre Real, pues en él llegaron a converger los linajes davídicos herederos de la jefatura de la Casa de David* según ambos colectivos.

Efectivamente, para los cristianos, el linaje de la Sangre Real había pasado de los emperadores carolingios a Hugo Capeto y a los reyes de Francia que le sucedieron, primero los capetos y, después, los valois, hasta que fue asesinado el último rey de esta dinastía, Enrique III, quien murió sin hijos, por lo que accedió al trono de Francia su cuñado Enrique de Borbón, descendiente también de los capetos por el hijo de San Luis IX, Robert, conde de Clermont, y por el vástago de este último, Luis duque de Borbón.

Enrique de Borbón fue verdaderamente un ejemplar jefe del linaje de la Sangre Real, pues dedicó su vida al servicio de *todo* su pueblo, cristianos o no, protestantes o católicos, pues sabía que *el derecho divino a gobernar* era un poder extraordinario, que tenía la estirpe davídica de la Sangre Real, y que hacía posible que el rey se sacrificase para dar a su nación la prosperidad y la paz. En fin, *Enrique IV de Francia*, como su antepasado el rey David, *al ser un auténtico sirviente del Santo Grial, poseía gracia y sabiduría, pues había logrado ese don misterioso al que algunos llaman Grial.* Y se había entregado a su misión plenamente, como los héroes legendarios.

Después de Enrique IV de Francia, el linaje de la Sangre Real ha continuado hasta hoy en que pervive, según afirman unos, *en los Borbones de España*, y, según la opinión de otros, *en el Jefe de la Casa real de los Estuardo*. Incluso hay quien dice que la jefatura de ese linaje del Grial pertenece actualmente a Isabel II del Reino Unido de Gran Bretaña.

Por último, querido lector que me has seguido hasta aquí, quisiera terminar la presentación de este libro recordando *la naturaleza espiritual que siempre tiene el Grial*. Para ello, puede tenerse en cuenta que, como L. Gardner afirma [13], «... además de su carácter dinástico, el Santo Grial tiene una dimensión espiritual... En la tradición esotérica del Grial, el cáliz y la parra adquieren el significado del ideal de *servicio,* mientras que a la sangre y al vino les corresponde el eterno espíritu de la *realización.* La búsqueda espiritual del Grial es, por lo tanto, un deseo de realización a través de la ofrenda o consecución de un servicio. El llamado Código del Grial es en sí mismo una parábola de la condición humana, en la que por la búsqueda del servicio, y a través de él, se alcanza la realización...», o sea, la felicidad.

En los *romans* sobre el Grial el amor es siempre el motor de los hechos que en ellos se relatan. Así lo ha subrayado Antonio Regales [14] cuando dice que «el amor es en Wolfram (von Eschenbach) el hilo conductor de todas las aventuras. Pero el amor produce también conflictos, odios, violencias, guerras, muertes. El amor puede ocasionar no solo la muerte del individuo, sino de toda la sociedad. Para evitarlo, el amor debe configurarse como una expresión enriquecedora de la fidelidad. Cuando el amor no es *correcto,* se producen graves desarreglos personales y sociales».

Desde luego, tanto en los *romans* sobre el Grial como en las *canciones de Gesta se relataba el comportamiento y las hazañas de ciertos personajes*, más o menos reales, que frecuentemente pertenecían al linaje del Santo Grial —San Guillermo de Gellone, por ejemplo—, y que eran presentados como *modelos de comportamiento ideal* en la Edad Media.

Tal vez por ello, René Nelli [15] concluye así su análisis del *Parzival:*

Es evidente que Wolfram von Eschenbach elabora un ideal humano que corresponde exactamente a lo que la sociedad de su tiempo concebía como lo más elevado: el caballero y el sacerdote. Wolfram soñó con caballeros-sacerdotes, y tenía por modelo a los Templarios. Pero también soñó lo imposible: la reunión en un mismo corazón de la cortesía amorosa, las virtudes guerreras y la santidad. De hecho, Parzival no es íntegramente amante, ni santo: no es más que un caba-

---

[13] *Ob. cit.,* pág. 17.
[14] *Ob. cit.,* págs. 15 y 16.
[15] *Ob. cit.,* pág. 427.

llero «salvaje». De ahí la parte de inconsciencia, de fatalidad, de «Providencia», gracias a la cual puede asumir, mal que bien, todos sus papeles...

En todo caso, *la búsqueda del Grial* es *un intento de descubrir el interior del alma humana observando detenidamente el comportamiento de un modelo, de una persona ideal* que, *si imitamos su vida, podremos* acercarnos mejor a esa «Providencia», para *conseguir así*, más fácilmente y con certeza, *la paz y la felicidad* que alcanzaron los admirables héroes legendarios del Grial.

II

DEL GRIAL AL SANTO GRIAL

«... *Nada hay oculto que no deba ser descubierto; ni escondido, que no haya de ser conocido y publicado.*»

Lucas VIII, 17

II.1

Las leyendas del Santo Grial: ¿Mito o historia oculta?

——————

E L GRIAL es algo que está relacionado con el poder y que, a veces, se ha identificado con el mismo poder. Desde luego, se cree que el Grial tiene potestades o poderes: ofrece sabiduría para descubrir la esencia de la vida, proporciona la abundancia de bienes materiales, tiene la capacidad de rejuvenecer y contribuye a encontrar la paz y la felicidad. Por eso se le ha buscado siempre.

Pero ¿qué es el Grial? Desde luego, por su etimología, pueden distinguirse varios nombres del mismo: Grial, Graal, Greal, Grail, etc., que tienen diversas representaciones: Copa, Vaso, Plato hondo o Libro, Sangre Real (San Greal = Sang Real = Santo Grial), Piedra caída del cielo (o Piedra del exilio), etc.

La naturaleza humana exige que el Grial se materialice y que, en lo posible, se concrete en un objeto mágico, pero visible. Por ello, René Nelli ha subrayado [1] que «los mitos del Grial se basan en la existencia ideal de un objeto mágico —ya sea piedra preciosa o copa—, cuyo simbolismo cada vez más complejo hizo que se llegase a olvidar finalmente su origen material, hasta el punto de que uno de los continuadores de Chrétien de Troyes se atrevió a aventurar, con razón, que, en tanto que "soporte" de una visión supraterrena, el Grial podía ser cualquier cosa».

Por todo ello, para contestar a la pregunta de qué sea el Grial, es preciso tener en cuenta lo que afirma Jean Blum:

> Corresponde a cada buscador encontrar en su meditación las bases de la respuesta. ¿Soporte material de una realización espiritual? ¿Sím-

——————

[1] *Ob. cit.,* pág. 408.

bolo? En todo caso, el Grial buscado responde a tres condiciones: es bien supremo de este mundo y como tal se le considera por parte de los espiritualistas puros. Es operativo, puesto que es conservado hasta los últimos momentos por los cátaros que se disponen a realizar su viaje hacia el nuevo cielo y la nueva tierra. Solo puede servir a los iniciados: Parzival no comprende su verdadero sentido en su primera visita a Montsalvat.

Los exégetas serios afirman unánimemente la hipótesis de la esencia espiritual del Grial: es el secreto de la muerte feliz, la copa de la vida eterna.

El mundo de la mezcla exige a veces apoyos materiales para una búsqueda que tiene forma de caminar errante.

Sería paradójico que existiese un Grial-objeto. Y, sin embargo... [2].

La idea del Grial procede del Antiguo Egipto, pero se concreta en la tradición celta, donde se le suele llamar «el Caldero Mágico». La imagen celta predominante en las leyendas artúricas es la búsqueda de la soberanía. *La causa de la anarquía y de la desolación* existentes en las tierras celtas estaba directamente relacionada con *la enfermedad que incapacitaba para gobernar al Rey Pescador, miembro de la dinastía protectora del Grial.*

Efectivamente, como ha puesto de relieve A. Sinclair: «... las leyendas del Grial tenían poderosas influencias celtas, sobre todo en lo que se refiere a la existencia de un mundo al que iban los héroes muertos: Artús a Avalon, Bran a las islas benditas del oeste, más que al Montsalvat o Monte de la Salvación en el que se había construido el castillo del Grial. Todas las maravillas del castillo del rey Pescador se encontraban también en el castillo del divino Lug, que contenía los tesoros de los dioses celtas, entre ellos... una piedra caída del cielo, como en el Parsifal: la Piedra del Destino o de Scone...» [3].

En la Edad Media resurge la antigua tradición del Grial que, en último término, es una especie de *portador y transmisor de fuerzas supraterrenas o supremas a los iniciados que sean dignos de merecer poseerlas.*

---

[2] Jean Blum, *Misterio y mensaje de los cátaros,* Edaf, Madrid, 1995, pág. 125.

[3] *Ob. cit.,* págs. 90 y 91.

Concretamente, en el siglo VIII se encuentra la primera referencia escrita sobre el Graal, en opinión de Laurence Gardner, quien afirma lo siguiente: «La cita más antigua sobre *Le Seynt Graal* se remonta al año 717 cuando un eremita británico llamado Waleran dejó constancia de que había tenido una visión de Jesús y el Grial. Heliand, un monje francés de la abadía de Fromund, mencionaba la aparición a Waleran hacia el año 1200. También lo mencionaron John de Glastonbury en su *Cronica sive Antiquitates Glastoniensis Ecclesie* y Vincent de Beauvais en su obra *Speculum Historal,* escrita en 1604. Cada uno de estos textos indica que Jesús coloca un libro en las manos de Waleran y siguen de este modo:

Este es el libro de tu origen;
Aquí empieza el Libro del Santo Grial» [4].

Mucho más tarde, en el siglo XII, en el norte de Francia, donde coexistían varios estilos literarios, apareció un nuevo género: el *roman,* en el que dos obras popularizaron el Grial. Se trata de:

— *Li Contes del Graal,* de Chrétien de Troyes.
— *Le Roman de l'Estoire dou Graal* (o *José de Arimatea*), de Robert de Boron.

A principios del siglo XIII se publicó otro *roman* sobre el Grial: *Parzival* o *Parsifal* de Wolfram von Eschenbach.

En el denominado *Ciclo Bretón,* con un simbolismo brillante pero cristianizado, se narró descriptivamente el Grial, especialmente en las siguientes obras:

— *La Muerte del rey Arturo*, de sir Thomas Malory.
— *Perlesvaus* o *El Alto Libro del Graal,* anónimo.

Durante los siglos XII y XIII aparecieron la mayor parte de las obras literarias sobre el Grial. En efecto, como ha precisado Carter Scott: «... los historiadores han dividido este periodo en cuatro ciclos: el primero se centra alrededor de "Perceval", de Chrétien de Troyes, que duró

---

[4] *Ob. cit.,* págs. 289-290.

hasta 1180; el segundo es la "Estoire dou Graal", de Robert de Boron, el cual llega a 1190; el tercero se refiere a "Perlevaus", para terminar en el año 1200, y el cuarto corresponde al "Parzival", de Wolfram von Eschenbach, que concluye en 1210. A todas estas obras se unió más adelante "Queste du Graal", que supuso una visión cirterciense, o cristianizada, del gran mito» [5].

Efectivamente, durante esos años quedó consolidado *el mito del Grial.*

Para entender el alcance mitológico del Grial hay que tener en cuenta previamente lo que afirman M. Hopkins, G. Simmans y T. Wallace-Murphy [6]:

> Desde tiempo inmemorial, el mito y la leyenda sirven para llevar a conocimiento público las alegorías espirituales, así como las verdades incómodas. Hasta época bastante reciente contaban con el menosprecio de los estamentos eruditos como simples formas de ficción inspirada a la altura de las mentalidades semianalfabetas o excesivamente crédulas. En su arrogancia, esos académicos ignoraban un hecho muy simple: que todas las actividades humanas dotadas de sentido, sean sociales, religiosas o políticas, tienden a crear su propia mitología...
>
> ... La fuerza duradera y omnipresente de esa mitología ha sido descrita por Malcolm Godwin en los términos siguientes: Más que ningún otro mito occidental, la leyenda del Grial retiene la magia vital que la identifica como una leyenda viva, capaz de hablar simultáneamente a la imaginación y al espíritu. No hay otra tan rica en simbolismos, tan variada y muchas veces tan contradictoria en cuanto a su sentido. En su núcleo subsiste *un secreto,* y eso es lo que ha perpetuado la atracción mística del Grial en el decurso de los novecientos años transcurridos, mientras otros mitos y leyendas caían en el olvido sin que nadie los echase en falta.

René Nelli ha descrito el proceso por el que el Grial llegó a ser un mito atractivo y asequible. En efecto, R. Nelli dice [7] que «fue preciso, para que se convirtiera en un mito singularmente operativo sobre las

---

[5] Carter Sscott, *Los Cátaros,* M. E. Editores, 1996, pág. 175.
[6] M. Hopkins, G. Simmans y T. Wallace-Murphy, *Los hijos secretos del Grial,* Ed. Martínez Roca, Barcelona, 2001, págs. 137 y 140.
[7] *Ob. cit.,* pág. 414.

almas, que el Grial fuese también asumido por otras fabulaciones, tradicionales y socializadas también, pero mucho más complejas que, al prestar un sentido nuevo a la andadura del héroe, conferían al propio Grial resonancias espirituales más profundas. Distinguimos fácilmente tres de estos grandes complejos ideológicos que son, por el orden probable de su estratificación: *a)* los ritos naturalistas de fecundidad; *b)* el Amor mediterráneo (o provenzal); *c)* el cristianismo. Los tres son fácilmente perceptibles en el primer cuento del Grial, el de Chrétien de Troyes, y en el *Parzival* de Wolfram».

Aunque el concepto griálico puede remontarse a épocas anteriores al cristianismo, en la mayoría de los *romans* mencionados anteriormente el Grial se suele asociar a temas cristianos propios de la época, especialmente en Robert de Boron, que lo asimila a la copa que utilizó Jesús de Nazaret en su Última Cena, y en el *Perlesvaus,* donde su autor, que se cree que era un caballero templario, dice que el Graal, en su forma quinta y definitiva, era también el cáliz eucarístico de la Última Cena.

Teniendo en cuenta este concepto de Grial como el cáliz de la Última Cena, Ricardo de la Cierva afirma lo siguiente: «... En San Juan de la Peña permaneció el Grial hasta que el año 1399 lo reclamó el rey Martín el Humano para instalarlo, con todos los honores, en la capilla del espléndido palacio de la Aljafería de Zaragoza. Allí se veneró hasta que el rey Don Alfonso el Magnánimo, V de la Corona de Aragón y II de Valencia, ordenó el traslado del Grial a su palacio real de Valencia, de donde poco después fue depositado en la Catedral valenciana, en la que hoy se conserva tras haberse salvado milagrosamente durante la guerra civil de 1936» [8].

Por su parte, Chrétien de Troyes, en su *Li contes del Graal,* narra que José de Arimatea, un judío discípulo de Jesús de Nazaret, estaba limpiando el cuerpo de Cristo después de su crucifixión cuando unas gotas de sangre brotaron de las heridas del difunto y José las recogió en un cáliz. Después, cuando desapareció el cadáver de Jesús, José de Arimatea fue acusado de robarlo y fue encerrado en una prisión, sin alimentos. Pero *Cristo se le apareció y le entregó el cáliz, a la vez que le transmitía grandes misterios y secretos.* Cuenta la leyenda que José

---

[8] Ricardo de la Cierva, *Templarios: la historia oculta,* Editorial FÉNIX, 1998, págs 160 y 161.

se alimentaba gracias a que una paloma entraba todos los días a su celda y le depositaba alimento en el cáliz.

Finalmente, cuando fue liberado, José de Arimatea se dirigió, con su hermana y su cuñado Bron, a Britania. El Grial pasó a Bron, quien se convirtió en el Rico Pescador, delegando su misión de protector del Cáliz Sagrado a sus descendientes: el Rey Pescador, Perceval...

Por el mismo tiempo que apareció la obra de Boron, Wauchier escribió un texto de similares características al *roman* de Chrétien de Troyes, pero *en Wauchier el Graal toma una forma diferente: la de un ser vivo.*

La obra capital, *donde a principios del siglo XIII se concreta definitivamente la leyenda del Grial acercándola cada vez más a la realidad de una historia oculta,* es el *Parzival* o *Parsifal* del caballero Wolfram von Eschenbach (1170-1220), publicada antes de 1210. El universo en que actúa el Grial es distinto, y mejor, que el de la Tabla redonda. Así lo ha subrayado Antonio Regales [9] cuando afirma que «en el *Parzival* el mundo del Grial se opone esencialmente al de la Tabla Redonda. Es un mundo *superior,* como se evidencia en que Gawan, representante del mundo artúrico, es secundario respecto a Parzival y en que este, después de ingresar en la Tabla Redonda, dirige todos sus esfuerzos a culminar su vida ingresando en la comunidad del Grial... (que) tiene en común con la de la Tabla Redonda el boato, la educación y el código caballeresco. Pero la diferencia es esencial, pues la comunidad del Grial está dirigida directamente por Dios, que manifiesta su voluntad en las inscripciones del propio Grial. Wolfram parece haberse inspirado aquí en los templarios, a los que les estaba prohibido entonces el amor a la mujer. El principio del Grial no es la *aventura,* como en la Tabla Redonda, sino la *humildad,* como en muchos movimientos religiosos de la época».

Por su parte, Robert de Boron profundizó en el significado del Grial y estableció *la relación entre el Graal del rey pescador y el tradicional Sang Réal,* pues convirtió al rey pescador en Bron, cuñado de José de Arimatea al haberse casado con su hermana Ana, y transformó el graal plato en el Saint Graal, un «cáliz de sangre sagrada».

---

[9] *Ob. cit.,* pág. 14.

Desde luego, como ha puesto de manifiesto J. Guijarro [10], «la interpretación simbólica de la obra de Robert de Boron nos ofrece un importante caudal de información sobre la "familia del Grial"... la dinastía del davídico *Sángreal*, sangre real de Judá, conocida en la literatura caballeresca como "la familia del Grial" o "Rex Deus"».

En fin, después de todo lo que se ha expuesto hasta aquí, puede afirmarse ya que actualmente *no se sabe todavía con certeza lo que sea el Grial*, por lo que, al no haberse desvelado este misterio, *existen numerosas teorías u opiniones sobre la naturaleza y la realidad del Grial*: una copa que contiene gotas de la sangre de Jesús de Nazaret, un objeto, una piedra (filosofal o no), la lanza que atravesó el costado de Jesucristo, un tesoro, o *un conocimiento secreto* sobre quiénes eran los miembros de la dinastía de la Casa Real de David que poseían la verdadera *Sangre Real* y que se habían instalado en Occidente.

En cualquier caso, el Grial posee unas propiedades a las que se ha referido asimismo J. Guijarro [11] especificando que «a través de la leyenda sabemos que la principal facultad del "cáliz" se resume en la luz, lo que Julius Evola denomina virtud iluminadora...

Además de ser una fuerza sobrenatural iluminadora, el Grial también proporciona nutrición (al Rey Pescador) y da "vida"... Pero el don de la "vida" de la sagrada copa se manifiesta, también, en la virtud de curar heridas mortales, de renovar y prolongar la vida por medios sobrenaturales.

Julius Evola también señala que el cáliz transmite una fuerza de victoria y dominación».

En definitiva, el multiforme Grial, en cualquiera de sus muchas representaciones, contiene la luz de la vida, que se manifiesta en *un poder con el que se logra la sabiduría, la abundancia, la paz y la felicidad*. Pero *ese poder,* puesto al servicio de la humanidad, *lo tenía el linaje elegido, la davídica familia del Santo Grial de la Edad Media,* que poseía también la potestad denominada *derecho divino a gobernar* que, de hecho, en los cristianísimos *reyes-sacerdotes* [12] era solo una

---

[10] *Ob. cit.,* págs. 137 y 143.

[11] *Ob. cit.,* págs. 119-120.

[12] «Vosotros, al contrario, sois el linaje elegido, una clase de sacerdotes reyes, gente santa, pueblo de conquista, para publicar las grandezas de Aquel que os sacó de las tinieblas a su luz admirable» (Epístola I de San Pedro, capítulo II, versículo 9).

obligación de dedicación total al *servicio del Grial,* como máximos servidores del mismo.

Tal vez por ello, Sinclair afirma que los miembros del linaje daví-dico son los únicos que pueden encontrar el Grial, pues solamente ellos son dignos de hallarlo. En efecto, esto se puede comprobar en la ver-sión más perdurable del relato del Grial que, según ese autor [13] es «... *la Queste del Saint Graal,* (que) fue escrita probablemente por un monje cirtenciense, quizá para el rey Enrique II de Inglaterra, en cuyo reina-do se descubrió oficialmente la tumba del rey Artús en Glastonbury. La Orden del Cister siempre estuvo relacionada con los templarios y con los caballeros de la orden española de Calatrava. Era Galaad, en lugar de Perceval, el hombre sin pecado que podía encontrar el Grial. Es interesante el hecho de que tuviera que demostrar que era descen-diente del rey Salomón para poder tomar la mística espada rota de David, con lo que conseguiría dar fin a su búsqueda: los templarios eran los caballeros del Templo de Salomón...».

En definitiva, sea lo que fuere el Grial, del repaso de las leyendas sobre el mismo se queda uno con *la duda de que si esos relatos griá-licos tienen o no una base real,* es decir, si en ellos solo hay ficción o si, en último término, contienen una esotérica realidad que todos podemos llegar a conocer, total o parcialmente, pues se trata de hechos históricos comprobables, con personajes identificables.

A lo largo de este libro se irá viendo que, efectivamente, la identi-ficación de estos personajes reales se basa en hechos históricos y en datos contrastables, pues en los relatos griálicos, especialmente en el *Parsifal* de Wolfram von Eschenbach, hay siempre una mayor o menor realidad histórica subyacente, que se ha contado tradicionalmente en forma esotérica.

Otto Rahn, en su obra *La Croisade contre le Graal,* publicada en 1933, afirma que el *Parsifal* de Eschenbach narra hechos que ocurrie-ron realmente durante la primera cruzada contra los albigenses.

Para comprobar la realidad histórica subyacente en los relatos sobre el Grial es preciso que se especifiquen *las fuentes o hechos en que se basan esos relatos* y que se intente *una aproximación a la rea-lidad histórica* mediante *la identificación de esos personajes legen-*

---

[13] *Ob. cit.,* págs. 90 y 91.

darios con los individuos que representan y que tuvieron existencia real —con nombres y apellidos—, e incluso un destacado protagonismo, en su época.

Con el fin de llevar a cabo esa interesante comprobación, pasaré a especificar en primer lugar *las fuentes y los hechos en que se fundamentan los relatos sobre el Santo Grial,* teniendo en cuenta las conclusiones que han obtenido los principales autores que se han ocupado del tema. De esta forma *se descubrirá la fascinante realidad histórica que contienen los romans que tratan del Grial.*

M. Hopkins, G. Simmans y T. Wallace-Murphy [14] subrayan que «las leyendas del rey Arturo y de la búsqueda del Santo Grial están inextricablemente unidas y no solo por su origen: ambas comparten un sentido idealista, el deseo de buscar la perfección espiritual sobre el trasfondo de la brutal realidad. No deja de ser curioso que tantos comentaristas y estudiosos modernos hayan observado que toda la materia medieval del Grial y de las novelas artúricas parezca provenir de una fuente común y perdida en época muy remota».

Sin embargo, existen opiniones diferentes sobre esa *fuente común,* pues, como ha dicho [15] Antonio Regales, «el problema principal de las fuentes es que Wolfram se distancia expresamente de Chrétien y cita en seis ocasiones al provenzal Kyot como fuente *verdadera.* Flegetanis, un investigador pagano, habría escrito el manuscrito en árabe, que Kyot habría hallado en Toledo... La obra de Wolfram no es una *versión libre* de la de Chrétien, sino una obra *nueva,* que puede y debe estudiarse también como una obra *autónoma.* Con razón se considera a Wolfram como uno de los autores más originales de la Edad Media».

Por su parte, el historiador Andrew Sinclair subraya [16] que Chrétien (de Troyes) aseguraba que se había limitado a poner en verso un libro perdido que le había prestado su protector el conde Felipe (de Flandes)... Chrétien dedicó su último *roman* inacabado, *Perceval o la historia del Grial,* al conde Felipe de Flandes, cruzado.

Por otro lado, L. Gardner también ha puesto de relieve que: «Para Wolfram (von Eschenbach) la historia de Chrétien sobre el Grial era

---

[14] *Ob. cit.,* págs. 136 y 137.
[15] *Ob. cit.,* págs. 11 y 12.
[16] *Ob. cit.,* pág. 83.

errónea. Su fuente de información es el caballero templario Kyôt el Provenzal, quien escribió sobre uno de los primeros textos, originario de Arabia, sobre el Grial. Trata sobre el sabio Flegetanis:

Un erudito por naturaleza, descendiente de Salomón y nacido de una familia que se mantuvo *israelita* hasta que el bautismo se convirtió en nuestro escudo contra el fuego infernal.

... El *roman* conocido como el *Perlesvaus, o la Alta historia del Santo Grial*, es una obra de origen franco-belga datada hacia el año 1200. Hace mención específica de la importancia del linaje del Grial, asegurando que el *Sangréal* representa la restitución de una herencia regia, al mismo tiempo que reitera la importancia para el principio dinástico del texto que Waleran escribió en el siglo VIII...

... Tal como sucede en el *Perlesvaus,* el *Parsifal* de Wolfram hace especial mención de la importancia del linaje del Grial... [17]».

Además, ha de subrayarse una sugestiva coincidencia, pues el autor de *Parsifal* escribió también una obra sobre *Guillermo de Gellone* o *de Toulouse* que es un personaje histórico perteneciente indudablemente al verdadero linaje del Grial o de la Sangre Real, ya que fue jefe de la Casa Real de David y, por ello, nasi o príncipe judío de Francia.

Por su lado, J. Guijarro concluye afirmando [18] lo siguiente:

Me he referido a Flegetanis como un mago y es que en el Toledo medieval abundaban los cabalistas, nigromantes y magos dentro y fuera de las juderías... Michael Baigent, Richard Leig y Henry Lincoln sí consiguieron, por el contrario, relacionar al mítico Kyot de la leyenda del Grial con un personaje llamado Guiot de Provins, un trovador, monje y portavoz de los templarios que vivió en Provenza. Guiot de Provins —según su investigación— visitó Alemania en 1184 para asistir a la fiesta caballeresca de Pentecostés, a la que con toda probabilidad asistió también Wolfram von Eschenbach. ¿Fue cuando entraron en contacto?

Otra aportación importante y documentada sobre el origen y las fuentes del Grial se encuentra en Andrew Sinclair cuando dice [19] que

---

[17] *Ob. cit.,* págs. 294 y 295.
[18] *Ob. cit.,* pág. 117.
[19] *Ob. cit.,* págs. 84, 85 y 88.

es seguro que Wolfram von Eschenbach estaba influido por creencias orientales y cátaras. Se creyó que el filósofo judío Flegetanis, al que Eschenbach calificaba de descubridor del Grial y de descendiente de la estirpe del rey Salomón, era Thabit ben Qorah, que vivió en Bagdad a finales del siglo IX... Se decía que la autoridad a que se remite Wolfram, Kyot o Guyot de Provins, había vivido en Jerusalén y en la corte de Federico Barbarroja.

Una parte de ello lo corrobora y amplía J. Guijarro [20] cuando explica que «durante la Edad Media era costumbre que los protectores encargaran a sus trovadores la confección de poesías en las que ensalzaran sus acciones o expresaran su gratitud y hospitalidad en forma poética. Es posible, por tanto, que una lectura a fondo de los versos del *Parsifal* de Eschenbach arroje luz sobre la procedencia de la historia, es decir, de los "mecenas" del misterioso "Guyot de Provins". Así comprobaremos cómo el "Kastis" de Wolfram es, en realidad. Alfonso "El Casto", rey de Aragón. En el relato "Kastis" es el prometido de Herzeloyde, la madre de Parsifal. Esta mujer sería Adelaida de Carcasona.

El hijo de Adelaida es un Trencavel, que significa que "corta bien". Wolfram von Eschenbach traduce el nombre de Parsifal por "corta por la mitad". Según Otto Rahn, Ramón Roger sería entonces el Trencavel. Todas estas pistas llevaron al militar alemán a identificar al mítico Kyot con Gyot de Provins, ciudad de Champagne —de nuevo aparece el mágico lugar— al sureste de París».

En fin, como concluye René Nelli [21] «el hipotético Kyot, en el que Wolfram pretende haberse inspirado, habría encontrado esta leyenda en Toledo, en una obra escrita en árabe por un astrólogo judío —o medio judío— llamado Flegetanis, cuyo nombre, deformado, significa, al parecer, "astrólogo" en persa».

En mi opinión, el judío Flegetanis fue en realidad Abraham ben Daoud (también llamado Abraham ibn Daud), que vivió en Toledo (España), autor del *Sepher Ha-Kabbalah o ShK* (El Libro de la Tradición), que contenía, como apéndice del libro, una crónica hebraica anónima redactada en Narbona en 1161, en la que se basaba, reproduciéndola fielmente, la «*historia verdadera*» de Kyot el Provenzal a

---

[20] *Ob. cit.,* págs. 158-159.
[21] *Ob. cit.,* pág. 409.

la que se refiere Wolfram von Eschenbach como fuente inspiradora de su *Parzival.*

El historiador Arthur J. Zuckerman, en un libro documentadísimo y fidedigno [22], expone una parte del contenido de esa crónica hebraica, el *Addendum a ShK* [23], que literalmente dice así:

> Entonces el Rey Carlos (Carlomagno) envió una petición al Rey de Babilonia (el Califa de Bagdad) para que le remitiese uno de sus judíos descendiente de la real Casa de David. Él la acogió y le envió uno de allí, un magnate y sabio, de nombre Rabbí Makhir. Y (Carlos) lo estableció en la capital de Narbona y lo instaló allí, donde le dio grandes posesiones cuando la capturó a los ismaelitas (árabes). Y él (Makhir) tomó como esposa a una mujer de entre los magnates... y el Rey lo hizo noble. Este Príncipe (Nasi) Makhir se convirtió en el caudillo (de Septimania). Él y sus descendientes emparentaron con el Rey y con todos sus descendientes...

La existencia y el contenido del *Addendum a ShK* son corroborados por el profesor de la Universidad de Haifa, Aryeh Graboïs [24], especialmente cuando se refiere a una crónica hebraica anónima redactada en Narbona hacia 1161, pues en la nota 5 de la página 50 de su artículo dice que «doy este título a un fragmento de crónica, que forma en los Manuscritos Adler, de Londres, un apéndice al «Sepher Ha-Kabbalah»

---

[22] Arthur J. Zuckerman, *A Jews Princedom in Feudal France, 768-900,* Columbian University Press, 1972.

[23] Según Zuckerman, este Addendum o Apéndice al «Libro de la Orden de la Tradición» (Sefer Seder ha Kabbaabah), del que es autor Abraham ibu Dandi, se encuentra en los Manuscritos número 2237 de Adler, que están ahora en el Seminario Teológico Judío de América (su fotocopia puede verse reproducida como Anejo al final del citado libro de Arthur J. Zuckerman, páginas 384 a 386). Véase E. N. Adler, *Catalogue,* página 81. También se halla en A. Neubauer, «Documents inédits», *REJ, X (1885),* 100-103. Un breve resumen del *Apéndice* aparece en A. Zacuto, *Sepher Yuhassin* (Libro de Linaje), ed. H. Fillipowski, página 84 (puede verse este texto resumido en el mencionado libro de A. J. Zuckerman, en la nota 22 de la página 60).

[24] Artículo titulado «La dynastie des rois juifs de Narbonne», por Aryeh Graboïs, que se encuentra en las páginas 49 a 54 del segundo tomo: «Narbonne au Moyen Age», de la obra en tres volúmenes denominada *Narbonne. Archéology et Histoire.* XLV Congreso de la Fédération historique du Languedoc méditerranéen et du Roussillon, Montpellier, 1973.

(El Libro de la Tradición) de Abraham ben-Daoud, de Toledo. El texto, copiado en el siglo XIV en Provenza por Jacob ben Makhir, denominado Comprat Davin de Vives, fue publicado, con el fragmento en cuestión, por Ad. Neubauer, en *Medieval Jewish Chronicles,* I, Oxford, 1885; el apéndice comprende las páginas 82 a 84». Además, continúa diciendo A. Graboïs que «esta tradición hebráica está confirmada por un texto, compuesto hacia la misma época, redactado en la abadía de Lagrasse y conocido por el nombre de la crónica de "Pseudo-Philomena", según la cual "Carlomagno, confirmando a Makhir, el descendiente del rey David, su título real repartió Narbona entre el arzobispo, Aimeri de Narbonne y los judíos"».

Por ello, teniendo en cuenta la crónica judía contenida en el Apéndice del citado *Libro de la Tradición,* así como la mencionada narración denominada *Pseudo-Philomena,* que, a través de la «historia verdadera» de Kyot el Provenzal, son las fuentes básicas y últimas retenidas por Wolfram von Eschenbach para redactar su *Parsifal,* se llega a la conclusión de que *el rey Pepín y Carlomagno establecieron en el sur de Francia el Principado judío de Septimania en el 768. Su líder, que era llamado nasi, fue Makhir-Teodoric, el jefe de la real Casa de David.*

Entonces, *el rey de los francos Pepín «el Breve» le dio como esposa a su propia hermana Auda Martel, y* de ellos *se formó un linaje davídico-carolingio, la auténtica* Sangre Real**, que fue el origen de la realeza y de la alta nobleza de los países europeos, *un secreto que los cátaros llegaron a conocer y que guardaron celosamente,* denominándole *Santo Grial.*

Desde luego, ciertos autores han subrayado ya que los relatos griálicos reflejaban determinados hechos históricos, al menos parcialmente, pero en forma novelada y misteriosa. Por ejemplo, L. Gardner ha dicho, perspicazmente, lo siguiente:

> Algunos de los caballeros atribuidos a la corte del rey Arturo se basan en personajes reales... ¿Y los demás? Los indicios es que muchos son verdaderos, aunque no siempre coetáneos de Arturo... Resulta evidente que los personajes eran reales, aunque las novelas los consideraran coetáneos sin tener en cuenta las diferentes épocas a que pertenecieron... [25].

---

[25] *Ob. cit.,* págs. 231 y 234.

Por otra parte, debe subrayarse que al gran maestre del Priorato de Sión René d'Anjou, que vivió en 1418-1480, le fascinaban los relatos artúricos y que parece que conocía, o al menos barruntaba, el secreto del Santo Grial. Por ello, dicen M. Hopkins, G. Simmans y T. Wallace-Murphy que «René d'Anjou organizaba de vez en cuando unos pintorescos eventos llamados *pas d'armes*, que eran una curiosa combinación de torneo caballeresco y mascarada... El más famoso recibió el sugerente título de *"pas d'armes* de la pastora", y consistió en un *mélange* idílico de temas pastoriles arcádicos, desafíos al estilo de los caballeros de la Tabla Redonda y misterios de la búsqueda griálica... Pero según los *Dossiers* Secretos (del Priorato de Sión) tuvo además otro significado más profundo y oculto. No se trataba solo de transmitir las enseñanzas esotéricas, sino más particularmente otras informaciones fácticas, específicas, como el secreto de alguna descripción transmitida de esa manera oculta de una generación a otra. Se da a entender que esa corriente subterránea podría referirse a *un linaje secreto, desconocido y perpetuado durante siglos»*.

Estos mismos autores siguen su narración afirmando que a uno de ellos, Tim Wallace-Murphy, un confidente fidedigno, al que identifica solamente con el nombre de Michael, le reveló que:

> ... él era miembro de un grupo de familias que reivindicaban su descendencia de las dinastías reales del judaísmo bíblico, es decir, la casa de David, los Asmoneos, y los 24 Sumos Pontífices del Templo de Jerusalén en tiempos de Jesús. Esta información se había transmitido de padre a hija o hijo elegido, siendo estos o bien los primogénitos, o los más dotados espiritualmente a juicio del padre para ser depositarios del secreto. Por lo que parece, las genealogías antiguas de estas familias se inscribieron en las paredes de unas criptas situadas debajo del Templo de Jerusalén... Además, afirmaba Michael que las familias solían contraer alianzas entre ellas, a fin de preservar la pureza de sangre y mejorar las probabilidades de continuidad de la tradición. Entre sí, estas familias se daban la denominación de *Rex Deus*...
>
> ... El secretismo de Rex Deus fue tal que nadie ajeno al grupo pudo tener atisbo de su existencia hasta las últimas décadas del segundo milenio [26].

---

[26] *Ob. cit.*, págs. 48 y 135.

En definitiva, basándome en la investigación que he llevado a cabo y para que se conozca lo mejor posible la realidad histórica subyacente en los *romans* griálicos, así como para que se pueda comprobar por otros investigadores *hasta qué punto los personajes de los relatos griálicos son ficticios o verdaderos,* más adelante revelaré *los auténticos nombres y apellidos de los principales protagonistas que aparecen en los romans sobre el Grial.*

Desde luego, algunos autores han puesto ya de manifiesto que existe una correspondencia entre ciertos personajes o héroes de esos relatos griálicos y sus equivalentes históricos, así como otras interesantes coincidencias. Por ejemplo, Jean Blum ha dicho que:

> ... volvamos a una geografía terrestre posible, teatro del Parzival. Una geografía distinta a la de la Casa de Anjou, sustituida por la de la visión. Un joven universitario alemán, Otto Rahn, fue a residir una temporada a Occitania, antes de la última guerra mundial, salió de allí persuadido de que Wolfram había superpuesto las aventuras caballerescas de Parzival a los primeros episodios de la Cruzada. Y descubrió un impresionante número de coincidencias, entre las que destacamos especialmente las siguientes:
>
> — El castillo del Grial se llama Munsalväche, lo que parece traducido del occitano Mount Salvatge, «Monte Salvaje», término que se puede aplicar a Montségur.
> — El primer rey del Grial es Pirilla. El señor que reconstruyó Montségur se llama Raimundo de Perella.
> — A propósito de Parzival, Wolfram escribe un verso incomprensible a primera vista: Parzival, cuyo nombre significa: «Que resuelve bien». Parzival puede traducirse por «Puro loco». Por el contrario, «que resuelve bien» es la traducción exacta de Trencavel, nombre del joven vizconde de Carcasona en la época en la que escribía Wolfram. Y el carácter de este señor audaz y puro correspondía al de Parzival...
> — ... Repanse de Schoye es muy común en pensamiento y en situación con Esclarmonde de Foix, hermana del conde y que llegará a ser cátara revestida [27].

---

[27] *Ob. cit.,* pág. 122.

Por mi parte, teniendo en cuenta estos precedentes, voy a proceder ahora a la identificación, con los nombres y apellidos que tuvieron en la realidad, de los equivalentes de los principales personajes de los relatos del Grial, comenzando por la relación de los nombres y apellidos verdaderos de los protagonistas que Chrétien de Troyes menciona en su *Li contes del Graal,* que aparecerán entre paréntesis inmediatamente después de la denominación que este autor da a esos personajes de su relato griálico, tal como se ve a continuación:

> Finalmente, cuando fue liberado José de Arimatea (Pepín «el Breve», rey de los francos) se dirigió, con su hermana (Auda Martel) y su cuñado Bron [Makhir Natronai-Teodoric I (Thierry) de Autun] a Britania. El Grial pasó a Bron, quien se convirtió en el Rico Pescador delegando su misión de protector del Cáliz Sagrado a sus descendientes: el Rey Pescador (Raymond Roger conde de Foix), Perceval (Raymond Roger II Trencavel), etc.

El hijo de Makhir Natronai-Teodoric fue San Guillermo de Gellone, quien, a su vez, fue el padre de Bernard de Septimania, y de este proceden directamente los Trencavel, vizcondes de Albi, y finalmente *Parsifal,* que era un cátaro-judío, el citado Raymond Roger II Trencavel.

Desde luego, *personalizando los equivalentes de los protagonistas del relato*, o sea, dando sus nombres y apellidos a esos individuos que efectivamente existieron, *se puede llegar a conocer aproximadamente la base real que subyace en cualquier novela sobre el Santo Grial.* Por ello, *a continuación se hará la personalización identificativa,* escribiendo su nombre verdadero entre paréntesis, *de los personajes que aparecen en un resumen del Parzival* de Wolfram von Eschenbach, que es el más interesante, completo y verídico relato griálico.

Como se sabe, el *Parsifal* comienza con las aventuras en Oriente de Gamuret de Anjou (Roger II Trencavel), caballero de la familia cruzada de Foulques de Anjou, de la que salieron los reyes de Jerusalén, quien se pone al servicio del musulmán Baruc de Bagdad. Allí se casa con una nativa (una mujer judía) y tienen un hijo: Feirefiz (Rodrigue de Mont o de Mont-Sion).

Después, Gamuret regresa a Occidente y acaba casándose con la reina Herzeloyde (Adelaida, hija de Raymond V de Toulouse y nieta de Luis VI de Francia), a la que deja embarazada antes de volver a Oriente, donde muere guerreando a favor del Baruc de Bagdad.

La reina Herzeloyde da a luz a Perceval/Parsifal (Raymond Roger Trencavel), a quien educa alejándolo de la caballería para que no tenga la misma desgraciada muerte que su padre, pero, cuando se hace mayor, Parsifal ve pasar por el bosque a tres caballeros y queda tan impresionado que suplica a su madre que le deje ir a la Corte del rey Arturo (Raymond VI conde de Toulouse). Su madre acaba por ceder a la petición de su hijo y le deja marchar, aunque terminará muriendo por la angustia que le causa su partida.

En su estancia en la Corte, Parsifal se adiestra en el manejo de las armas con su pariente Gurnemanz de Graharz (Raymond de Termes), quien lo armará caballero.

Posteriormente, Parsifal presencia cómo Ithier de Gaheriez (Simón de Monfort) ofende a la reina Ginebra (Sancha de Aragón), por lo que decide vengarla y acaba matando al ofensor.

Un día, Parsifal estaba paseando y encuentra casualmente el Castillo del Grial, donde Anfortas, el Rey Pescador (Raymond Roger, conde de Foix), lo invita a pernoctar. Allí contempla las maravillas del Castillo: ve pasar una magnífica procesión en la que llevaban los objetos sagrados. Un escudero tenía la Santa Lanza, mientras la reina del Grial (Esclarmonde de Foix) portaba la piedra del Grial sobre un cojín de seda verde. La reina es tía de Parsifal, pero él no lo sabe.

Aturdido por las maravillas que contempla, comete el error de no preguntar cuál es el misterio de la Lanza manchada de sangre ni de la herida del Rey Pescador. Después se retira a dormir.

A la mañana siguiente, al despertarse, comprueba que el Castillo está vacío y abandonado, marchándose de él con tristeza. Por el camino se encuentra con su prima Sigune (Cécile de Foix, esposa de Bernard V de Comminges) que le revela que, si hubiese preguntado durante la procesión, todos los males del Rey Pescador se hubiesen curado y que, entonces, la prosperidad hubiese vuelto a todas sus tierras.

Parsifal se lamenta de que el señor del Castillo sufra lastimeramente. ¡Ay, desgraciado Anfortas! ¿De qué te sirvió que yo estuviera contigo?

Parsifal vuelve a salir en busca del Grial y, tras muchas aventuras, tropieza con un caballero con el que combate. Durante la pelea aluden a su padre y el caballero resulta ser su hermanastro, el pagano Feirefiz, que había regresado de Oriente. Ambos caballeros llegan juntos al Castillo del Grial.

Después, cuando Parsifal subió al lugar en que se encontraba el Rey Pescador, se arrodilló tres veces en dirección al Grial, en honor de la Trinidad, y suplicó que el hombre doliente quedara libre del tormento. Entonces se levantó y preguntó: «Tío, ¿qué te atormenta?».

Esa pregunta ayudó a Anfortas a sanar y a curarse por completo... Una vez curado, la belleza de Parsifal no era nada en comparación con la suya.

En fin, como la inscripción en el Grial lo había designado soberano, no había otra opción: Parsifal fue reconocido enseguida como rey y señor del Grial.

Después salió en busca del ermitaño Trevezent (Pierre de Colmieu), que tiene una custodia o relicario verde, quien le manifestó el origen del Grial y la naturaleza de sus defensores. Trevezent le dijo también a Parsifal:

> Unos valientes caballeros tienen su morada en el castillo de Montsalvatge, donde se guarda el Grial. Son templarios que van a menudo a cabalgar a lo lejos, en busca de aventuras.

Parsifal le dijo a Trevezent que deseaba ir a ver a su esposa... Cuando la encontró, vio también a su hijo Lohengrin (Roger Raymond III Trencavel, o Raymond «el Joven») al que posteriormente se coronó como heredero del Grial y señor de todo el Reino.

Los templarios cogieron entonces a Lohengrin y a su hermosa madre y cabalgaron rápidamente hacia Montsalvatge.

Por su parte, Feirefiz (Rodrigue de Mont-Sion) fue bautizado con agua del Grial y se casó con la doncella que portaba el Grial (Héloise de Gisors), marchándose a tierras orientales donde tuvo un hijo al que denominaron Preste Juan (Jean-Eudes de Mont-Sión, más conocido en la realidad por John Turnbull), y desde entonces se da allí (en el Priorato de Sión) ese nombre (Juan) a todos los reyes (grandes maestres del Priorato). Antes de irse había pedido que Lohengrin se fuera con él para protegerlo, pero su madre pudo impedirlo. El rey Parsifal le explicó: «Mi hijo está destinado al Grial. Si Dios lo lleva por el buen camino, servirá al Grial con todo su corazón».

Finalmente, Lohengrin, el caballero del cisne, cuando fue armado caballero y cumplió con su deber, consiguió gran gloria y se convirtió en el principal sirviente del Grial.

Hasta aquí el fascinante relato de la leyenda del Grial en el *Parsifal*, que se ha hecho todavía más atractivo con la personalización de sus protagonistas encarnados en unos personajes que vivieron efectivamente y que se relacionan a continuación (además de los anteriormente mencionados en *Li contes del Graal*), por el orden de aparición en la narración:

— Pepín «el Breve» rey de los francos.
— Auda Martel.
— Makhir Natronai-Teodoric I (Thierry) de Autun.
— San Guillermo de Gellone o de Toulouse (o *Gillaume d'Orange*).
— Bernard de Septimania.
— Raymond Roger, conde de Foix.
— Raymond Roger Trencavel.
— Roger II Trencavel.
— Rodrigue de Mont-Sión.
— Adélaïde de Toulouse.
— Raymond VI, conde de Toulouse.
— Raymond de Termes.
— Simón de Monfort.
— Sancha de Aragón.
— Esclarmonde de Foix.
— Cécile de Foix.
— Pierre de Colmieu.
— Roger Raymond III Trencavel o Raymond el Joven.
— Héloïse de Gisors.
— Jean-Eudes de Mont-Sión o John Turnbull.

Más adelante, en el apartado VI.3) de este libro, se incluye un cuadro genealógico que muestra, de generación a generación, los verdaderos nombres de los miembros del linaje de la Sangre Real. *La mayor parte de los personajes citados en la lista anterior se encuentran en ese cuadro genealógico, pues muchos de ellos pertenecen al linaje del Santo Grial.*

Por último, deseo subrayar aquí que J. Guijarro se refiere [28] expresamente al último de los personajes históricos que acabo de relacionar, Jean-Eudes de Mont-Sión o John Turnbull, conocido legendariamente como *Preste Juan.* Guijarro dice lo siguiente:

> En la corte del Rey Pescador donde el Grial está depositado, Feirefiz se casará con Repanse de Schoye, la doncella que custodia la Santa Copa y, fruto de su matrimonio, nacerá el Preste Juan, el legendario emperador «Africano Cristiano» que en el esoterismo medieval de inspiración templaria está considerado como el soberano del reino subterráneo de Agarthi.
>
> Se creía también que el Preste Juan era descendiente directo del rey Salomón, afirmación sostenida por Haile Selassie, el emperador de Etiopía del siglo XX.

Además, ha de ponerse de relieve que, como se irá narrando en este libro, algunos descendientes de los davídico-carolingios o Rex Deus, como Godofredo de Bouillon, Raymond IV de Toulouse o el conde Hugo de Champagne, tuvieron un destacado protagonismo en la primera Cruzada y en sus consecuencias, en la creación de la misteriosa sociedad secreta el Priorato de Sión y en la fundación del Temple. Entre estos acontecimientos, y entre las instituciones y personas que intervienen en esos hechos, suele existir un esotérico nexo o vínculo, además de *un objetivo común* que, más o menos, siempre les guía: se trata de *la protección y conservación del Santo Grial, del linaje elegido, de los descendientes de David,* de la auténtica *Sangre Real.*

Teniendo en cuenta este «objetivo común», es posible ya responder a los interrogantes que formula Jean Blum cuando expone lo siguiente:

> ... un episodio misterioso, superpuesto a la rendición de Montségur, hace suponer que los cátaros salvaron y pusieron en un lugar seguro, el último día del asedio, un *bien* que ellos consideraban extraordinariamente precioso...

---

[28] *Ob. cit.,* pág. 133.

... El rastro de los fugitivos se encuentra en la región en diferentes sitios: en Lavelanet y en Sabarthèz, en donde diversos testimonios concordantes hacen referencia al paso de aquellos. Demasiada imprudencia, o imprudencia deliberada, para hombres encargados de una misión secreta y fundamental...

¿Qué tesoro estaban salvando? Ciertamente, no un tesoro material: el oro y la plata habían sido puestos en lugar seguro desde Navidad, cuando la situación del castillo había planteado problemas inmediatos. Además, la relación de los últimos días muestra a los revestidos entregando sus modestos bienes, una moneda o una prenda de vestir, a los hombres de armas llamados a sobrevivir. Montségur no abrigaba más riquezas materiales en ese momento.

¿Un tesoro espiritual, sea cual sea su supuesta naturaleza? En todo caso un bien que los cátaros habían querido conservar consigo hasta el final de su viaje terrenal. ¿Objeto de culto? ¿Textos sagrados?...

... la tradición popular ha reunido las piezas del rompecabezas: los cátaros tenían el Grial en Montségur, y los cuatro encargados de la misión lo salvaron el último día para que se preservase el «bien supremo de este mundo» [29].

En mi opinión, la respuesta a estos interrogantes es que *los cátaros de Montségur quisieron conservar y proteger el supremo bien, que era la vida de los herederos del linaje de la Sangre Real: los hijos del Grial.*

En efecto, hay un famoso novelista, Peter Berling, que ha dedicado varias obras suyas a tratar el tema de *Los hijos del Grial.* Al final de cada una de sus novelas, ese autor ofrece un apéndice con unas interesantes y documentadas Notas históricas. En una de ellas P. Berling dice lo siguiente:

... el Grial era el gran misterio, que solo se revelaba a los *iniciados* (de los cátaros), y que conmovía no solamente a los cátaros, sino a muchas personas en la Edad Media. Hasta hoy no se ha aclarado si el Grial representa un objeto... o un saber secreto relacionado con la dinastía de la casa real de David... [30].

---

[29] *Ob. cit.,* págs. 120 a 123.
[30] Peter Berling, *El cáliz negro,* Plaza & Janés. Barcelona, 1999, pág. 1027.

Además, P. Berling especifica concretamente en esas Notas históricas que *los hijos del Grial* son Roç (de Roger) y Yeza (de Jezabel o Isabel), y que en 1244, poco antes de la capitulación de Montségur, los dos habían sido puestos a salvo bajo la protección de la condesa de Otrante, a petición del *Priorato de Sion* (una sociedad secreta) por los caballeros Créan de Bourivan (hijo de John Turnbull), Sigbert von Öxfeld (de la Orden de los Caballeros Teutó-nicos), Constance de Selinonte, alias «Halcón Rojo», y del templario Gavin Montbard de Béthune.

Desde luego, en la lista expuesta anteriormente de los personajes históricos que fueron mencionados esotéricamente como protagonistas de los relatos griálicos pueden observarse algunos que, como se verá en los siguientes capítulos de este libro, eran cátaros o protectores suyos (condes de Toulouse y de Foix, Trencavel, Esclarmonde de Foix, Jean-Eudes de Mont-Sión o John Turnbull...), y entre ellos, el Priorato de Sión y el Temple hubo misteriosas interrelaciones, a veces solo de carácter personal. Más adelante iremos viendo el destacado papel que esos personajes tuvieron en los hechos históricos que se irán narrando en esta obra. De momento, me limitaré a garantizar al lector que sus vidas fueron, a veces, todavía más fascinantes y heroicas que las de sus equivalentes: los protagonistas de las leyendas griálicas.

II.2

La historia de la Sangre Real: De David a San Guillermo de Gellone

ODOS los reyes tienen sangre regia, pero solo algunos soberanos tienen Sangre Real. Sin embargo, otras personas que no
son monarcas poseen también Sangre Real, pues pertenecen a
la realeza elegida de la estirpe de David, o sea, al *linaje del Grial.*

Suele aceptarse generalmente que la historia de la Sangre Real
comenzó al ser ungido David como rey de Israel y culminó en Jesús
de Nazaret, «el hijo y Señor de David». Pero esa historia no terminó
en Jesucristo, continuó después.

Antes de Jesús, los davídicos reyes ungidos y consagrados de Israel
y de Judá tuvieron entidad propia, relativamente. Después de *Él, que
asume el poder real para siempre,* los emperadores y los reyes de
Sangre Real solamente poseyeron ese *derecho divino a gobernar* como
lugartenientes del único Rey eterno: Jesucristo.

Ahora, como antecedente de la narración que se hará a lo largo de
este Apartado de la fascinante *historia de la davídica Sangre Real*, me
voy a referir a la existencia de una teoría, generalmente admitida,
según la cual el Santo Grial = Saint Graal = San Gral = Sang Réal, es
la *Sangre Consagrada* o *Sangre Real* que corresponde a los *elegidos*
de la estirpe del rey David de Israel, al que le fue hecha por Dios la
promesa de que *su descendencia reinaría eternamente* [1]. Esa teoría es
asumida por muchos autores, tanto en el pasado como en la actualidad.

La mayor parte de esos autores coinciden en la opinión de que el
linaje de la verdadera *Sangre Real* comienza en el rey David de Israel.
Por ejemplo, Jean Hani dice lo siguiente: «En el punto de partida de

---

[1] Biblia: Libro II de Samuel: capítulo VII, versículo 16.

la realeza está el pacto de Dios con David, pacto que es la realización del pacto del Sinaí, y ese pacto es renovado por la unción de cada rey. Es Dios mismo quien lo recuerda en el Salmo 88... [2].

... A partir de David, se establece el principio dinástico, pero el acceso al trono se hizo siempre por la gracia de Dios; Dios estableció alianza con la casa de David, pero cada vez, sin embargo, se ejerce la elección; así, es Salomón quien accede al trono, en vez de Adonías, que sin embargo es su hermano mayor, " porque Yahvé le dio la realeza" (1 Reyes 2, 15). Cada entronización implica una renovación de la alianza davídica» [3].

Por lo tanto, el poder de los davídicos reyes ungidos tiene indudable *origen divino* «porque Yahvé le dio la realeza» a David y a sus sucesores, sobre todo a Jesucristo.

Pero ¿qué es esa realeza elegida?, ¿qué es lo que caracteriza la Sangre Real? Para contestar a esta pregunta es necesario especificar lo que define *el poder ejercido por un soberano ideal*, según la Biblia. Entonces podrá verse que la noción de Sangre Real ha de caracterizarse por una forma típica de ejercicio del poder, y que no basta únicamente la pertenencia a una estirpe, pues Yahvé le promete condicionalmente a David que colocará sobre su trono a sus descendientes «con tal que tus hijos sean fieles a mi alianza y a los preceptos que Yo les enseñaré, aun los hijos de estos ocuparán tu trono para siempre» (Salmo 131, versículo 12). Por lo tanto, los hijos de David que no cumplan los preceptos divinos serán apartados de esa realeza y no reinarán, aunque sean descendientes legítimos de David, pues no son dignos portadores de la Sangre Real.

---

[2] Efectivamente, en el salmo 88 se leen estas palabras divinas:

«21. Hallé a David, siervo mío, ungile con mi óleo sagrado.

...

27. Él me invocará: Tu eres mi padre, mi Dios, y el autor de mi salud;

28. Y yo le constituiré a él primogénito, y el más excelso entre los reyes de la tierra.

29. Eternamente le conservaré mi misericordia, y la alianza mía con él será estable.

30. Haré que subsista su descendencia por los siglos de los siglos, y su trono mientras duren los cielos».

[3] Jean Hani, *La realeza sagrada,* José J. de Olañeta, Editor, Palma de Mallorca, 1998, págs. 108 y 109.

Entonces, ¿cuáles son esos preceptos divinos? Son los mismos que aceptaron y cumplieron los reyes David y Salomón, quienes, por ello, fueron «fieles a la alianza con Yahvé». Sus reinados se confunden sin solución de continuidad. En efecto, la Biblia dice que «Salomón se sentó en el trono de su padre». Entonces, David dirigió a su hijo un memorial del comportamiento de un rey *de Sangre Real* que comienza así: «Yo me voy por el camino de todos. Ten valor y sé hombre»; y que puede resumirse con las siguientes palabras bíblicas: «Guarda las observancias de Yahvé, tu Dios, yendo por sus sendas, observando sus mandamientos, sus preceptos, sus juicios y sus testimonios, como está escrito en la Ley de Moisés, para que tengas éxito en cuanto hicieres y te propusieres» (I Reyes, 2,3).

El rey David, en el salmo 100, ha especificado su «Ideal de príncipes», donde se dice lo siguiente:

...

3. Jamás he puesto la mira en cosa injusta; he aborrecido a los transgresores de la ley.

4. Conmigo no han tenido cabida hombres de corazón depravado; ni he querido conocer al que con su proceder maligno se desviaba de mí.

5. Al que calumniaba secretamente a su prójimo, a este tal lo he perseguido.

6. Dirigí mi vista en busca de los hombres fieles del país para que habiten conmigo; los que procedían irreprensiblemente, esos eran mis ministros.

7. No morará en mi casa el que obra con soberbia; ni hallará gracia en mis ojos aquel que habla iniquidades.

8. Por la mañana mi primer cuidado era exterminar a todos los pecadores del país, para extirpar de la ciudad del Señor a todos los malhechores.

De la lectura de este salmo, se deduce *el comportamiento personal de un rey bíblico modelo*.

Por otra parte, en Salomón se encuentra perfeccionada la figura de rey-sacerdote. En efecto, así lo pone de relieve Guido Cavalcanti, cuando afirma lo siguiente:

Lo mismo que lo fuera su padre, en cierta manera, Salomón aparece a los ojos del pueblo hebreo como el mediador entre Dios y la nación. Y del mismo modo que en la mente del pueblo hebreo había arraigado la idea de que el gran sacerdote Melquisedec había bendecido al patriarca Abraham en Salem —nombre tal vez de la primitiva Jerusalén—, arraiga también la creencia de que la presencia de Dios en la Tierra —materializada por el Arca de la Alianza, recuperada por David— se hace más palpable si cabe en Sión, en la línea de sangre del Ungido y de sus sucesores, ya que ellos representan unitariamente al Gran Sacerdote y al Gran Rey de Jerusalén, la ciudad donde el propio Dios había establecido su reino y había morado [4].

Salomón fue un soberano ideal porque su actuación se fundamentaba en una ética impregnada de *ejemplaridad teocrática*, concepto que ha sido expresado magistralmente por Laurent Cohen:

... El poder no posee ningún valor intrínseco, no tiene más que una función instrumental; suscitando una tensión de base en el seno de la colectividad cuya carga Dios le confía; el rey, de ejemplaridad religiosa, se convierte para los suyos en una incitación a la superación. La mirada que semejante rey posa en sí mismo se encuentra cargada de un sentido subversivo frente a la idea admitida corrientemente del soberano. «Porque soy tu esclavo, soy tu esclavo hijo de tu sirvienta», exclama David en un salmo dedicado al Dios de Israel. El rey, por tanto, sabe ser doblemente subordinado: a la voluntad divina, en primer lugar, como expresa el versículo citado, pero también a sus súbditos [5].

Además, Laurent Cohen profundiza en la idea *de la ética como norma de gobierno ideal* cuando dice que:

... como mencionamos la ética como filosofía política primera de Salomón, observemos que en varios puntos de la obra que se considerará escrita por él, el rey se vale de su profundo horror ante todo lo que haga posible la perpetuación del mal, un mal percibido como el único objetivo a combatir...

---

[4] Guido Cavalcanti, *Salomón, rey de reyes,* Ediciones 29, Barcelona, 2000, pág. 33.
[5] Laurent Cohen, *Salomón, el rey sabio,* Edhasa, Barcelona, 2000, pág. 36.

... «Hacer el mal debe ser abominable para los reyes, ya que solo mediante la justicia se fortalece el trono» (Proverbios 16, 12). Pero volvamos a la plegaria que Salomón pronuncia ante Dios. Según Abrabanel, esta súplica implica dos movimientos:

«Se comprueba que, en sus palabras, Salomón dirige una doble petición: la primera se refiere a la justicia y la conducta del pueblo, y la segunda a su propio perfeccionamiento moral respecto a la cosa política en los dominios del bien y del mal».

Esto, según Malbim, no demuestra en realidad más que un único deseo: canalizar todos sus esfuerzos en una dinámica de servicio constante a la colectividad, tener presente infaliblemente la «preocupación por el otro», ya que estos son la razón de ser y el fin supremo reservados al proyecto salomónico: «Y Yahvé —concluye la Biblia— concedió a Salomón sabiduría e inteligencia muy grandes y un corazón tan dilatado como la arena de la orilla del mar» (I Reyes 4, 29) [6].

Desde luego, Salomón había recibido la auténtica sabiduría, lo que le permitió gobernar éticamente, como debía hacerlo el jefe del linaje del Santo Grial, es decir, como un servidor de su pueblo.

En resumen, tanto el rey David como su hijo Salomón, los patriarcas de la realeza ideal, son auténticos siervos de Dios y de su pueblo. Debe subrayarse el sentido *subversivo* de este *servicio*, que es *el que caracteriza a la Sangre Real* frente a otras formas de ejercicio del poder soberano de un rey. *David, el fundador de la Sangre Real, utiliza el poder que le da su realeza para servir a su pueblo, nunca para dominarlo tiranizándolo en su propio provecho personal.*

Ahora, después de haber concluido que *la Sangre Real es una forma específica de ejercer la realeza y no una cuestión solo de herencia o de transmisión genética*, se puede pasar ya a concretar la andadura del linaje del Santo Grial, pues la línea de la *Sangre Real* de David hasta Jesús de Nazaret se encuentra especificado en el Evangelio de Mateo en el capítulo I, versículos 6 a 16, que dicen así:

...

6. David y la que había sido esposa de Urías fueron los padres de Salomón.

---

[6] *Ob. cit.*, págs. 62 y 63.

7. Salomón fue padre de Roboam, que fue padre de Abías, y luego vienen los reyes Asá,
8. Josafat, Joram, Ocías,
9. Joatán, Ajaz, Ezequías,
10. Manasés, Amón y Josías.
11. Josías fue padre de Jeconías y de sus hermanos, en tiempos del destierro a Babilonia.
12. Y, después del destierro a Babilonia, Jeconías fue padre de Salatiel y este de Zorobabel.
13. A continuación vienen Abiud, Eliacim, Azor,
14. Sadoc, Aquim, Eliud,
15. Eleazar, Matán y Jacob.
16. Jacob fue padre de José, esposo de María, y de María nació Jesús, llamado también Cristo.

A su vez, el Evangelio de Lucas también recoge la genealogía de Jesús de Nazaret, que no coincide con la anterior del evangelista Mateo, pues mientras que este ofrece la *legal,* o sea, la de su padre José, en el de Lucas se cree que está relacionada la correspondiente a María, su madre, que era asimismo descendiente de David.

La importancia del linaje real davídico en la época bíblica es suficientemente conocida y no precisa explicación, pues todos saben las hazañas de reyes como Salomón o Josías. En cambio, sí que parece necesario hablar del príncipe de Judá Zorobabel, quien, tras el destierro, volvió de Babilonia —donde había sido príncipe del pueblo judío— y en Jerusalén fue el patriarca que, junto con el pontífice Josué, dirigió la reconstrucción del Templo de Dios, pues el que construyó Salomón había sido destruido en el año 586 a. de C. por el rey asirio Nabucodonosor. El nuevo Templo era magnífico, pero Zorobabel no pudo levantar un Templo para el Dios de Israel tan colosal e imponente como el anterior de Salomón.

Desde luego, Zorobabel fue artífice del Templo, pero también uno de los *guardianes* clásicos del mismo. Así lo reconoce Sinclair cuando dice [7] que: «Uno de sus tres guardias era Zorobabel, el primer guerrero de la espada y la llana, modelo de los templarios posteriores».

---

[7] *Ob. cit.,* pág. 197.

Por otra parte, en la Biblia, Libro I de las Crónicas o Paralipomenos, capítulo III, versículos 21 a 24, se especifican en cada generación los principales descendientes de Zorobabel, quienes, de padre a hijo, son los siguientes: Hananías, Faltías, Jeseías, Rafaías, Arnán, Obdía, Sequenías, Semeya, Naaría, Elioneai y Accub, siendo este el último que menciona la Biblia, y del que descienden los exilarcas que hubo en Babilonia, incluso el restaurador Bostanai y su descendiente, el ya citado Makhir-Natronai, nasi de Francia y príncipe de Septimania, que vivió en el siglo VIII después de Cristo.

La historia del pueblo hebreo, en la época en que muchos judíos que vivían en Babilonia, como Zorobabel, regresaron a Judea, ha sido narrada por diversos autores. Por ejemplo Werner Keller, quien dice lo siguiente:

> Tras la caída del reino babilónico en el año 538 a. de C., el rey Ciro trae la liberación: el soberano persa permite el regreso de los judíos a su patria y ordena la reconstrucción del templo de Jerusalén. Empieza algo completamente nuevo. Cuando después de cuarenta y ocho años de exilio el pueblo regresa a su país lentamente y en grupos aislados, la dinastía de David no es restaurada en el poder. Jerusalén y el templo reconstruido se convierten en el centro de una restauración que instaura la primacía del principio espiritual sobre el material. De ahora en adelante, el más alto sacerdote de Jerusalén, como Sumo Sacerdote, ocupará el lugar del rey. Judea, como se llama ahora la tierra de los hijos de Israel, se convierte en una república teocrática. Con Esdras se realiza la renovación de la alianza con Dios [8].

Entonces, no todos los judíos volvieron a Judea. En Babilonia se quedaron también bastantes de ellos, incluso aristócratas de la estirpe real o davídica que no regresaron a Judea. Hananías, hijo de Zorobabel, fue el nuevo príncipe de los judíos que permanecieron en Babilonia, y el sucesor de su padre como jefe del linaje real, pues en Jerusalén no se pudo restaurar jamás el trono de David, ya que Judea se convirtió en un Estado sacerdotal que estuvo sometido a la dominación extranjera hasta los tiempos en que vivió Jesucristo, salvo en un corto periodo de ochenta años, en que fue liberado por los Macabeos.

---

[8] Werner Keller, *Historia del pueblo judío,* Ediciones Omega, Barcelona, 1994, pág. 23.

En efecto, como ha relatado también el citado historiador Werner Keller:

> ... después de haber vivido sometida a cinco grandes potencias que se sucedieron en la hegemonía del poder —asiria, babilonia, persa, griego-egipcia y finalmente griego-siria—, Judea se veía nuevamente libre del yugo de la soberanía extranjera. Y la familia de los Macabeos... instauró de nuevo la monarquía judía... Mas el sueño de un reino judío independiente debía tener poca duración. No habían transcurrido todavía ochenta años desde la restauración del Estado judío... cuando se acerca la última hora de la Judea libre. Desgarrada por luchas de partido y desórdenes dinásticos, el joven Estado se echa directamente en los brazos de Roma, que en aquel momento dirige sus ataques hacia Asia...
>
> (En fin)... confirmado como rey y aliado, seguro del favor de Augusto y por consiguiente seguro también de su situación... Herodes pone todo su empeño en transformar su reino según el modelo romano-helenístico. Por todas partes surgen rápidamente palacios suntuosos, templos paganos, monumentos, arenas enormes e hipódromos [9].

Además, el rey Herodes reconstruyó asimismo magníficamente el templo de Dios en Jerusalén, cuyos atrios estaban protegidos por una potente muralla. Este templo fue el que contempló Jesucristo, que iba a nacer años después de esa reconstrucción.

Cuando nació Jesús se cumplió plenamente la promesa que Dios había hecho a David, por medio de Natán, de que *su descendencia vivíría siempre y de que su reino permanecería eternamente* [10].

---

[9] *Ob. cit.,* págs. 24, 25 y 41.

[10] El Evangelio de San Lucas, en el capítulo I narra así la encarnación de Jesús Nazareno:

«26. ... envió Dios al Ángel Gabriel a Nazaret, ciudad de Galilea,

27. a una virgen desposada con cierto varón de la casa de David, llamado José; y el nombre de la virgen era María.

...

...

30. Mas el Ángel le dijo: ¡Oh María!, no temas, porque has hallado gracia en los ojos de Dios.

31. Sábete que has de concebir en tu seno, y darás a luz un hijo, a quien pondrás por nombre Jesús.

Sin embargo, parece existir una contradicción entre la profecía del anuncio del nacimiento de Jesucristo que hizo un ángel a María y la situación colonial en que se encontraba Judea, sometida a Roma. ¿Significa ese anuncio que Jesús de Nazaret va a liberar a su pueblo del yugo de Roma? Por la narración que hacen los Evangelios de la vida de Jesús deducimos que no, ya que acabó muriendo en la cruz, suplicio al que le condenó el gobernador romano, Poncio Pilatos. Lo que sí hizo Jesucristo, el Mesías, es redimir al pueblo judío, y a todos los hombres, del pecado. En fin, Jesucristo era, y es, Rey, pero del «Reino de Dios»: un reino de la verdad y de la justicia, un reino en que predomina la paz y el amor.

En efecto, en el Evangelio de Mateo (XXVIII, 18) el propio Jesús de Nazaret proclama que: «Me ha sido dado todo poder en el cielo y en la tierra». Por su parte, San Pablo se refiere a Cristo afirmando: «En él todas las cosas fueron creadas, en el cielo y en la tierra, las visibles y las invisibles... Él existe antes de todo y todo subsiste en Él» (Col. I, 12 y ss.).

El mismo Jesucristo le dice a Pilatos: «No tendrías potestad sobre mí si no se te hubiera dado de Arriba» (Jn. XIX, 11). En el fondo, pues, lo que Jesucristo le estaba diciendo a Pilatos es, según Jean Hani, que «... la realeza que Yo reivindico, aunque no sea *de* este mundo, se ejerce sin embargo *sobre* este mundo, los individuos y las naciones, porque Yo soy el Hijo de Dios, principio y señor del orden universal...

... (hay) que buscar en la realeza de Cristo, tal cual se afirma en las Escrituras, el origen, el principio y el fundamento, al propio tiempo que la justificación, del poder temporal» [11].

Lo que no le dice Jesús a Pilatos es que Él es el Rey del mundo *para siempre*, pues tras Su resurrección vivirá eternamente, por lo que en Jesucristo se cumplió la promesa de Yahvé a David de que va a subsistir perdurablemente su descendencia y su trono mientras que duren los cielos.

En fin, hay que tener en cuenta que *Jesús de Nazaret era de la estirpe de los reyes y no de la clase sacerdotal* porque había elegido

---

32. Este será grande, y será llamado Hijo del Altísimo, al cual el Señor Dios dará el trono de su padre David, y reinará en la casa de Jacob eternamente,

33. y su reino no tendrá fin».

[11] *Ob. cit.,* págs. 134 y 135.

pertenecer al linaje real de David, de la tribu de Judá, y no a los sacerdotes, que eran de la tribu de Leví.

En los Evangelios se habla muchas veces de Jesucristo como *rey*, especialmente en el de San Juan, donde Su realeza se afirma quince veces, sobre todo en los últimos días de su vida en la Tierra.

Son muy significativas algunas citas de las Sagradas Escrituras sobre este tema de la realeza de Jesucristo, que dicen así: «Miré en las visiones de la noche, y he aquí que sobre las nubes vino como un hijo de hombre; y avanzó hasta el Anciano y lo llevaron ante Él. Y este le dio poder, gloria y reino, y todos los pueblos, naciones y lenguas lo sirvieron. Su dominio es dominio eterno que no pasará, y su reino nunca será destruido» (Da. 7, 13). También en el Apocalipsis, donde Cristo es llamado "Príncipe de los reyes de la tierra"; y se lee en su vestido: "Rey de reyes y Señor de señores"» (Ap. 19, 16).

Por lo tanto, *desde Jesucristo en adelante, Él es el único Rey hasta el fin de los tiempos*, y los otros reyes que ha habido después de Su venida, los que hay y los que existirán, son solamente *lugartenientes* suyos, incluso los emperadores que lideraron la Cristiandad.

En consecuencia, cuando Jean Hani se refiere, por ejemplo, al emperador romano de Bizancio, dice [12] así: «La unción, nuevo signo —típicamente cristiano— de la "elección divina", convertía al *basileus* de Bizancio en el "lugarteniente" único del Dios único reinante en el mundo...

Eusebio (obispo de Cesarea) afirma también que el emperador es el "lugarteniente" del Gran Rey».

Por mi parte, ya he dicho en otro libro [13] que *en Carlos VII de Francia se reconoce perfectamente al rey elegido por Dios, que ejerce su poder únicamente por mandato divino y como delegado Suyo*. En efecto, en el discurso de Juana de Arco al Delfín (17 de julio de 1429), que ha reproducido Jean Hani [14], esta le dice: «Noble delfín, he venido enviada por Dios para ayudaros, a vos y a vuestro reino. El *Rey del Cielo* os hace saber por mí que vais a ser consagrado y coronado

---

[12] *Ob. cit.*, págs. 155 y 156.
[13] Joaquín Javaloys, *El origen judío de las monarquías europeas,* Edaf, 2000, pág. 212.
[14] *Ob. cit.*, pág. 188.

en la ciudad de Reims, y que seréis lugarteniente de Él, que es el verdadero Rey de Francia». Como se sabe, el Valois Carlos VII de Francia fue el rey al que la inspirada «doncella de Orleans» Santa Juana de Arco le ayudó a reconquistar gran parte del territorio de su reino que estaba invadido por las tropas inglesas.

En fin, se puede ya concluir que *Jesucristo, el «hijo y Señor de David», es el supremo representante del linaje de la Sangre Real.* Por ello, han surgido algunas leyendas, a veces reproducidas en libros lujosamente editados, que intentan explicar y justificar la existencia de la Sangre Real —que conlleva el *derecho divino a gobernar*— en la era cristiana mediante la *inverosímil patraña*, que nunca ha podido probarse con hechos históricos ni con documentos fidedignos a pesar de una orquestada conspiración, de que Jesús de Nazaret se casó con María Magdalena y tuvo varios hijos con ella, y de que después de Su crucifixión Su descendencia se refugió en Occidente y constituyó *el linaje de la Sangre Real o del Santo Grial* al que se refieren los *romans* medievales de caballería como *Li contes del Graal,* de Chrétien de Troyes; *Parzival o Parsifal,* de Wolfram von Eschenbach, y otros muchos.

La realidad histórica es otra, que sí puede comprobarse documentalmente: algunos descendientes de David y de Zorobabel, que eran *los jefes de la Casa Real de David, continuaron habitando en Mesopotamia y dirigiendo políticamente al pueblo judío como exilarcas, en Babilonia,* y de allí vinieron en el siglo VIII a Occidente, al reino de los francos, donde hicieron una *alianza de sangre* con los carolingios y formaron una familia davídico-carolingia que heredó el *derecho divino a gobernar* y que efectivamente han reinado en los países europeos, como *lugartenientes* del único Rey eterno, Jesucristo. Todo ello ha quedado demostrado en mi ya citado libro *El origen judío de las monarquías europeas.*

En definitiva, *sí que existe un linaje davídico de la Sangre Real, una familia del Santo Grial, pero que no desciende carnalmente de Jesucristo, sino de David, de Salomón, de Zorobabel y de los exilarcas de Babilonia.* Al estudio de la misma se dedican los próximos capítulos de este libro. Pero no debo adelantar acontecimientos. Voy a continuar ahora relatando la andadura histórica de los sucesores de David y de Zorobabel.

Entonces, al comienzo de la era cristiana, el pueblo judío se encontraba no solo en Judea, también se hallaba disperso en muchos países. La comunidad judía de Babilonia, dirigida por los exilarcas de la estirpe de David, continuaba siendo una de las más importantes de la diáspora. El historiador Werner Keller se refiere a ella diciendo lo siguiente:

> La historia de las comunidades judías de Mesopotamia permanece en la más profunda obscuridad a través de (esos) siglos. Se esfuman todas las noticias desde los tiempos de Esdras... Continuaron siendo súbditos sumisos, que no pedían sino la libertad en lo referente a su fe. No obstante, cualquier ataque a su culto conducía irremediablemente a una resistencia que no se arredraba ni ante la muerte...
> ... Babilonia queda lejana, si bien ocasionalmente llegan noticias curiosas a Erez Israel. No es hasta más tarde, después de muchos años (siglos), que la comunidad de esa diáspora alcanzará una gran importancia [15].

En fin, es necesario recordar ahora que mucho más tarde, hacia el siglo VII, Mesopotamia llegó a estar entonces dominada por los árabes, quienes convivían en paz con los judíos de Babilonia.

En efecto, como ha narrado también el citado W. Keller [16]:

> ... Mahoma murió en el año 632. Apenas transcurridos diez años la bandera del profeta ondeaba en los más bellos países del norte y del nordeste de Arabia... En el año 638 cae Jerusalén... En el mismo año, las bandas guerreras del califa, mandadas por el general Chalid, sometieron también toda Babilonia. La opresión y las persecuciones se habían agudizado de tal forma en los últimos tiempos, bajo los reyes persas, que los judíos prestaron una valiosa ayuda a los conquistadores árabes... Las comunidades de Babilonia consiguen una gran libertad. Parece que su ayuda fue muy valiosa para los mahometanos. El califa Omar la agradeció generosamente: se les concede nuevamente el derecho de organizarse bajo la autoridad de un príncipe que posee atribuciones políticas y judiciales.

---

[15] *Ob. cit.*, págs. 53 y 54.
[16] *Ob. cit.*, págs. 165 y 167.

El general Alí, más adelante califa, confirma a Bostanai, joven sucesor del exilarca, en su dignidad como jefe de los judíos de Babilonia. Incluso le concede para esposa a Isdadvar, la hermana del rey persa vencido, Jesdegerd III, y le permite firmar sus documentos y decretos con un sello real.

Posteriormente, hacia el año 750, fueron derrocados los Omeyas y ascendieron al poder los Abasidas con cuyo califato el Imperio mahometano alcanzó una época de paz y de prosperidad, además de un espléndido auge cultural y espiritual. También se erigió una nueva capital: Bagdad.

Los Abasidas procuraron influir decisivamente en el gobierno interno del pueblo judío interviniendo en la elección de *exilarca.* Su falta de neutralidad en este delicado tema fue una fuente de conflictos, pues según las circunstancias apoyaron a una o a otra de las dos ramas descendientes de Bostanai: la davídica pura y la davídica-persa, con lo que fomentaron una división fratricida en la familia que lideraba la comunidad judía.

El exilarca, como ha dicho Dov (Claude) Stuczynski en el curso titulado *Una perspectiva histórica sobre el liderazgo judío,* que organizó Hagshamá, un departamento de la Organización Sionista Mundial, «legitimaba su liderazgo en tanto que dinastía descendiente del rey David. Era el representante político de los judíos ante el poder persa y como el nasí se especializaba en asuntos civiles. Tanto para los judíos de la diáspora como para los de Babilonia el exilarca representaba la continuación del liderazgo judío político y davídico a pesar del exilio, lo que infundía de esperanzas mesiánicas y sobre todo daba respuestas al debate con el Islam y el Cristianismo sobre la elección o el abandono de Israel por parte de Dios».

En la segunda mitad del siglo VIII, *Natronai-Makhir ben Haninai David, perteneciente a la rama davídica pura descendiente del exilarca Bostanai, había conseguido ser elegido también exilarca* después de intensas luchas, pero fue derrocado pronto, por lo que finalmente aceptó la invitación de los reyes de los francos para instalarse en Europa, donde le concedieron un principado judío autónomo en Septimania, y acabó exiliándose en Occidente.

Natronai-Makhir era el jefe de la real Casa de David, pues *procedía directamente de los reyes de Israel y de Judá, siguiendo por los exilarcas del pueblo judío.* Es decir, que *tenía como antepasados a los sucesivos jefes de la estirpe de David, de la familia de la Sangre Real o del linaje del Santo Grial.* Tras la emigración de Makhir-Natronai al reino de los francos hacia el año 768, y su establecimiento como nasi o príncipe de los judíos, será en Occidente a partir de esa fecha donde podrá encontrarse *la jefatura del linaje de David* o *de la Sangre Real,* que es el que a continuación se relaciona, de generación en generación, especificando los nombres de las personas que han sido sucesores de David hasta San Guillermo de Gellone, según las fuentes que se detallan en la correspondiente nota a pie de página [17].

EL LINAJE DE LA SANGRE REAL

1. David, rey de Israel.
2. Salomón.
3. Roboam.
4. Abiah.
5. Asá.
6. Josafat.
7. Joram.
8. Oziah.
9. Joatam.
10. Acaz.
11. Ezequiah.
12. Manasés.
13. Amón.
14. Josiah.
15. Jehoiakim.
16. Jeconiah.
17. Salatiel.
18. Zorobabel.
19. Hananiah.
20. Faltiah.
21. Jeshaiah.
22. Rephaiah.
23. Arnan.
24. Obadiah.
25. Shecaniah.
26. Shemaiah.
27. Neariah.
28. Elioneai.
29. Akkub.
30. Johanan.
31. Shaphat.
32. Huna (Anani), exilarca (...-210).
33. Nathan 'Ukba, exilarca (...-270).
34. Nehemiah, exilarca (...-313).
35. Mar `Ukba II, exilarca (...-337).
36. Abba Mari, exilarca (...-370).
37. Nathan II, exilarca (...-400).
38. Mar Zutra I, exilarca (...-455).
39. Kahana II, exilarca (...-465).
40. Huna VI, exilarca (...-508).

---

[17] Generaciones 1-14: Mt. I, 1-10.
Generaciones 1-29: Libro I de las Crónicas (o Paralipómenos), cap. III.
Restantes generaciones (30-50): *The Jewish Encyclopedia,* en Exilarca y Seder 'Olam Zuta.

41. Mar Zutra II, exilarca (493-520).
42. Huna Mar, exilarca (...-560).
43. Kafnai, exilarca (...-581).
44. Haninai, exilarca.
45. Bostanai, exilarca (610-660).
— Haninai bar Adai (linaje davídico puro), en la generación siguiente.
— Hisdai Shahrijar (linaje davídico-persa), exilarca (635-665).
46. Haninai bar Adai, exilarca (627-689).

47. Nehemiah (650-...).
48. Natronai, gaon (670-...).
49. Haninai (Habibai) (687-...)
50. Makhir Natronai-Teodoric (Thierry) I de Autun, exilarca, nasi de Francia, príncipe de Septimania (730-793).
51. San Guillermo de Gellone, nasi de Francia, príncipe de Septimania, conde de Toulouse (771-812).

Desde luego, existe certeza documental de la instalación de un antiguo exilarca de Babilonia, el jefe de la Casa de David Makhir-Natronai, en Occidente, pues, como ha demostrado Zuckerman [18]:

> Después de la caída de Narbona y del amistoso resultado de las negociaciones con Bagdad en 765-768, Pepín y sus hijos Carloman y Carlos cumplieron su promesa a los judíos, estableciendo un Príncipe erudito en Narbona que se llamaba Makhir (Al-Makhiri; más tarde, denominado Aymeri en lengua vernácula), *concediéndole el nombre franco de Teodoric*, le dieron como esposa a una princesa carolingia y le dotaron con rango de nobleza y muchas fincas y heredades. La reacción del papa Esteban a estos hechos fue inmediata y violenta, pero no pudo evitarlo, porque su predecesor, aparentemente, había dado su conformidad a estos acuerdos.

Además, entre los descendientes de David y los carolingios se celebraron numerosos enlaces matrimoniales que unieron ambas dinastías reales, integrándose sus vástagos *en una nueva familia davídico-carolingia que se dividió en varias ramas*, en su mayoría cristianas. Desde luego, *la rama dominante* de esta familia fue *la imperial davídico-carolingia* formada por los líderes cristianos Carlomagno y sus sucesores como emperadores carolingios. También eran cristianos los integrantes de *la rama davídico-carolingia real italiana,* que se

---

[18] *Ob. cit.,* pág. 173.

inició con el hijo de Carlomagno Pepín (Carloman), rey de Italia, y con su esposa la davídica Berta de Toulouse, hija de Makhir-Natronai. Esta rama, tras el suplicio y consiguiente fallecimiento del previamente cegado rey Bernard de Italia, continuó por su hijo Pepín II, conde de Vermandois. *Una tercera rama de la familia davídico-carolingia era judía ortodoxa* y estaba integrada por los nasis o príncipes judíos de Francia, sucesores de Makhir-Natronai, o sea, por Guillermo de Toulouse, Bernard de Septimania...

En consecuencia, como de Makhir-Natronai y de su hijo Guillermo de Toulouse resultaron numerosos descendientes, llegó a haber *opiniones discrepantes* —según se tratase de autores cristianos o judíos— *sobre quién fue el sucesor de ambos y heredero de la jefatura del linaje davídico de la Sangre Real.*

Para los cristianos lo fue, o bien por legitimidad de derecho, el rey Bernard de Italia, casado con Cunegunda de Toulouse, la hija de Guillermo; o bien por adopción —tras el citado vasallaje o sumisión de Makhir-Natronai a Carlomagno—, el emperador Luis el Piadoso, del que fueron continuadores sus sucesores en el Imperio hasta el sajón rey de Alemania Enrique I «el Pajarero», abuelo de Hugo Capeto.

Finalmente, esos dos linajes carolingios vinculados con la Casa de David por sangre o por adopción convergieron, más tarde, en el rey de Francia Hugo Capeto, heredero y sucesor de los davídico-carolingios cristianos, como expuse en mi citado libro [19]. La legitimidad de la sucesión de Hugo Capeto como heredero de la Casa de David se confirma también en el linaje gráfico que se va a especificar seguidamente, en el que puede observarse que el fundador de la dinastía capeta desciende tanto del rey Pepín «el Breve» como del davídico-carolingio Bernard rey de Italia; pero sobre todo del nasi judío de Francia y jefe de la real Casa de David Guillermo de Toulouse.

---

[19] *Ob. cit.,* pág. 108.

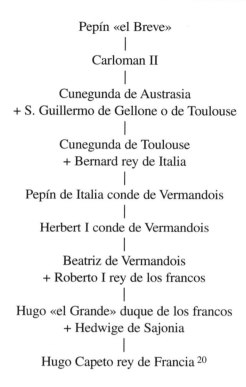

Pepín «el Breve»
|
Carloman II
|
Cunegunda de Austrasia
+ S. Guillermo de Gellone o de Toulouse
|
Cunegunda de Toulouse
+ Bernard rey de Italia
|
Pepín de Italia conde de Vermandois
|
Herbert I conde de Vermandois
|
Beatriz de Vermandois
+ Roberto I rey de los francos
|
Hugo «el Grande» duque de los francos
+ Hedwige de Sajonia
|
Hugo Capeto rey de Francia [20]

En mi opinión, Beatriz de Vermandois era hija del conde Pepín de Vermandois y no, como aparece en este linaje gráfico, de su hijo Herbert de Vermandois, pero ello no afecta al hecho de que *Hugo Capeto es descendiente directo de San Guillermo de Gellone.*

Por otra parte, *los historiadores judíos suelen afirmar que a Guillermo de Toulouse le sucedió como jefe del linaje de la Sangre Real y de la Casa de David su hijo Bernard de Septimania*, quien fue también nasi de Francia, como su padre y su abuelo. A Bernard de Septimania le sucedió en esa jefatura —una vez fallecidos en plena juventud sus hijos Guillermo y Bernard—, el vástago que tuvo con su segunda esposa, la hebrea N d'Albi, biznieta de Makhir. Este vástago de Bernard de Septimania se llamaba Aton y fue el primer vizconde de Albi, quien era judío tanto por su madre como por su padre. Aton

---

[20] Fuente: De Pepín «el Breve» a Hugo Capeto: *La Revue Française de Généalogie,* n.º 123, agosto-septiembre de 1999, Revigny (Francia), pág. 22.

era nieto de Aymon, el primer conde de Albi, hijo primogénito hebreo de Makhir-Teodoric, que había nacido en Bagdad cuando todavía Makhir no había llegado a Francia.

A su vez, el hijo y sucesor de Aton fue *Bernard I de Albi, fundador de la famosa dinastía de los Trencavel*, en el sur de Francia, en la tierra de los cátaros, según la especificación del linaje de los Trencavel que ofrece el genealogista Arnaud Aurejac, quien habita en Bioule (Francia), en el departamento de Tarn y Garonne, cerca precisamente de Albi.

De este linaje de origen judío —que se detalla y especifica generación a generación en el apartado IV.2) de esta obra— debe destacarse al cátaro-judío Raymond Roger II Trencavel, héroe de los legendarios *romans* sobre el Santo Grial o linaje de la Sangre Real, en los que se le denominó Perceval o Parsifal, y en los que su prima, la cátara Esclarmonde de Foix, fue la *guardiana* clásica del Santo Grial.

Por mi parte, y como ya he expuesto con detalle en mi libro titulado *El origen judío de las monarquías europeas,* el Santo Grial de los cátaros era *el secreto de la «Sangre Real»,* que para algunos es únicamente *un mito;* pues creo que los templarios, entre sus hallazgos de documentos en las excavaciones del Templo de Salomón en Jerusalén, encontraron el relato de cómo, en el siglo VIII, un anterior exilarca de los judíos en Bagdad, llamado Makhir-Natronai, príncipe y jefe de la real Casa de David, había venido al reino de los francos, donde como nasi de los judíos de Occidente acaudilló el Principado judío autónomo de Septimania [21].

En Septimania y en la región de Toulouse se quedaron a vivir definitivamente los davídico-carolingios de la rama judía ortodoxa, cuyos descendientes, con el paso de los siglos, acabaron siendo, unos, cristianos judaizantes, como los condes de Toulouse, y otros, cátaro-judíos, como los Trencavel y los condes de Foix, pero *todos ellos fueron destacados protectores de los cátaros y de los judíos, y mantuvieron el secreto del linaje del Santo Grial,* que solo algunos autores de *romans* griálicos, como Wolfram von Eschenbach en su *Parzival* o *Parsifal,* se atrevieron a relatar esotéricamente.

---

[21] Se denominó Septimania a la parte que poseyeron los godos de la provincia romana Narbonense, pues la integraban estas siete ciudades: Narbona, Carcassonne, Lodève, Béziers, Nimes, Magalon y Agde.

III

EL PRINCIPADO
DE SEPTIMANIA Y LOS REYES
JUDÍOS DE NARBONA

III.1

El Principado de Septimania
y los reyes judíos de Narbona

E N julio de 1999 visité S. Guilhem-le-Désert, que es un singular pueblecito medieval bien conservado, reconocido como *Patrimonio de la Humanidad* por la UNESCO, y que se halla cerca de Montpellier (Francia) y junto al pueblo de Aniane. Allí se encuentra el antiguo monasterio —hoy Iglesia abacial— que fundó San Guillermo de Gellone a principios del siglo IX en el que están los restos del santo y alguna valiosa reliquia como el fragmento de la cruz de Cristo que Carlomagno regaló a su primo Guillermo cuando este le comunicó su intención de hacerse monje y le pidió su autorización para retirarse a un lugar desértico donde iba a fundar un monasterio.

Entre los objetivos de mi visita a S. Guilhem-le-Désert estaba el de encontrar datos históricos adicionales a los que ya tenía sobre Guillermo de Gellone y su padre Makhir-Teodoric. En este objetivo no tuve fortuna y he de confesar mi decepción que, sin embargo, se vio ampliamente compensada por el atractivo turístico del lugar y por mi visita a su extraordinaria iglesia, a su claustro y a su pequeño museo, en el que se exponen muchas cosas interesantes, especialmente los sarcófagos que contuvieron los restos de Guillermo y los de sus dos hermanas Auda o Aldana (Santa Ida) y Berta o Bertana.

Por cierto, lo que sí me llamó mucho la atención en S. Guilhem-le-Désert es que en la Iglesia de San Guillermo, que está en la Plaza Mayor, se haya colocado en su fachada, cerca de la puerta principal, una estatua modernista de metal que representa a Judit, la heroína bíblica que libró al pueblo judío de una segura derrota degollando a Holofernes, el jefe de los ejércitos de Nabucodonosor, rey de los asirios. ¿Qué tiene que ver la hebrea Judit con San Guillermo? ¿Tal vez los promotores de la colocación allí de ese monumento a la judía Judit querían rendir indirectamente un homenaje al pueblo judío del que Guillermo era un miembro destacado como jefe de la Casa de David?

Si esto es así, esos promotores, que verosímilmente son autoridades o prominentes habitantes de S. Guilhem-le-Désert o de su comarca, sí que conocen —aunque no lo digan— el origen judío de San Guillermo y de su padre Thierry, que era, efectivamente, de *estirpe real*, por ser el jefe de la Casa de David. Desde luego, se trata de un tema *tabú*, pero que he descubierto ya, con todo detalle, en mi libro *El origen judío de las monarquías europeas*, donde demostré que en Narbona se habían instalado los davídicos Makhir-Teodoric (Thierry) y su hijo Guillermo, que fueron los primeros *reyes* del Principado autónomo judío de Septimania, y que, cuando el año 768 llegó a Francia Makhir-Natronai, el rey de los francos Pepín lo acogió en la nobleza y le dio el distinguido nombre franco de Teodoric. Es decir, que, a partir de ese momento, Makhir comenzó a usar, además del nombre hebreo, su nuevo nombre franco: Teodoric. Por lo tanto, *Makhir y Teodoric son dos denominaciones de una misma persona, como lo afirman numerosos autores y se recoge en algunas fuentes* [1].

En fin, continuando con el relato de mi visita a S. Guilhem-le-Désert, diré que sí que obtuve allí la confirmación de algunos datos históricos que ya poseía, pero no localicé otros adicionales, pues la única *historia* de la vida de San Guillermo que encontré fue un librito de Gérard Alzieu para turistas, no para especialistas, en el que Alzieu recopila y resume lo ya dicho por otros autores sin añadir nada original fruto de una investigación propia. Por tanto, en su obra no desvela el

---

[1] Joseph Calmette: 1) En «La famille de saint Guilhem et l'ascendance de Robert le Fort», *Annales du Midi,* XL (1928), págs. 225-245. 2) En *Charlemagne. Sa vie et son oeuvre,* París, 1945.

Ferdinand Lot: «Études carolingiennes. Les comtes d'Auvergne entre 846 et 877. Les comtes d'Autun entre 864 et 878», *BEC,* CII, 1941 págs. 249, nota 7; 252, nota 2, y 257.

P. Tisset: *L,Abbaye de Gellone,* págs. 25 a 27.

Israel Lévi: «Le roi juif de Narbonne», *REJ,* XLVIII (1904), pág. 206.

Stuart, Roderick W.: *Royalty for Commoners,* 2.ª ed., pág. 162, 1995.

Ahnentafel for Edward III of England.

Arthur J. Zuckerman: *Ob. cit.* Identifica como la misma persona a Makhir-Teodoric en muchas páginas de su libro.

misterio del origen familiar de Guillermo y mantiene la incógnita sobre los antepasados de Thierry o Teodoric, el padre de Guillermo. En efecto, sobre este tema Gérard Alzieu dice lo siguiente:

> Todos los documentos están de acuerdo en que San Guillermo es hijo de Thierry y de Auda. Así en la carta de dotación del monasterio de Gellone (804), el mismo Guillermo afirma «... mi padre Thierry y mi madre Auda...». ¿Quién era este Thierry? Si se cree lo que viene en la «Vita Sancti Guilhemi», sería un vástago de las mejores familias principescas de los francos, y tendría el título de cónsul... El padre de San Guillermo era un cierto conde Thierry. Por su parte, los *Annales de Lorsch* hablan en 782 de un «conde Thierry de estirpe real». Pero, a falta de otra precisión, es muy difícil concluir si este conde Thierry fue el padre de Guillermo... El abad Chaume subraya que los Thierry pertenecían al linaje de los Merovingios. Que tenían importantes posesiones en Borgoña y que habían sido condes de Autun» [2].

De este texto se deduce que Alzieu cree que ese conde Thierry fue el padre de Guillermo y que desconoce su ascendencia, si bien parece que Thierry-Teodoric procedería de una familia merovingia, en opinión del abad Chaume. *Aquí hay algo sospechoso,* pues ¿cómo se va a desconocer en Septimania y en Toulouse la procedencia de una persona de estirpe real, al parecer merovingia y de las primeras familias de los francos? ¿No se estará más bien ocultando su verdadero origen judío, tal vez considerado *vergonzante* para los monjes autores de la «Vita» quienes, piadosamente, lo convierten en merovingio, pues querían mantener el indudable rango de Thierry como persona *«de estirpe real»*? ¿No estarán escondiendo que Thierry-Teodoric era Makhir-Natronai, nada menos que el jefe de la Casa real de David y nasi de los judíos de Francia? ¿Habrá que saber por los *romans* sobre el Grial lo que era *una historia oculta*, pero conocida por unos pocos?

Desde luego, el mismo G. Alzieu, refiriéndose a San Guillermo, subraya al comienzo de su obra [3] que la leyenda ha secuestrado al personaje y que, rápidamente, los datos históricos se han mezclado con

---

[2] Gérard Alzieu, *Saint Guilhem de Gellone,* Imprimerie de La Charité, Montpellier, 1992, pág. 14.

[3] *Ob. cit.,* pág. 13.

los elementos legendarios. Así ha sido desde que en el siglo XII se publicó la «Vita Sancti Guilhemi», biografía compuesta por los monjes de Gellone para exaltar al santo fundador y desarrollar su culto. Por mi parte, creo que entonces, como ya habían comenzado las persecuciones a los judíos en Francia, los monjes creyeron que era mejor ocultar piadosamente el origen judío de su santo.

Sin embargo, hay que tener en cuenta también que *existe una teoría sobre la ascendencia merovingia de Thierry (o Teodoric)* que ha sido expuesta, sin confirmación por su parte, por el genealogista Daniel de Rauglaudre y que voy a exponer aquí por si en el futuro se llegase a confirmar con documentos fidedignos. Ese genealogista dice que el padre de Makhir(-Teodoric) fue efectivamente Habibai ben Natronai David, por lo que su linaje corresponde, como yo afirmo, al de los sucesores de David, pero cita también a su madre llamándola Rolinde de Aquitania, lo que conllevaría, si ello es cierto, que *el padre de Makhir habría venido de Bagdad a instalarse en Occidente bastante antes del año 768*, de lo que no existe constancia documental, aunque pudiera ser cierto. En fin, *lo importante de esta teoría*, a mi juicio pendiente de demostrar fehacientemente, *es la ascendencia real merovingia de Rolinde de Aquitania (y por lo tanto de su hijo Makhir-Teodoric)* que, según D. de Rauglaudre, sería la siguiente:

Thierry III, rey de Neustria (651-690)
+ Dode de Heristal
|
Berthe de Neustrie
+ Norbert de Aquitania
|
Rolinde de Aquitania
+ Habibai ben Natronai David
|
Aka Makhir ben Habibai David
(o sea, Makhir-Teodoric-Thierry)

Por supuesto, si esta teoría se llegase a confirmar, corroboraría el linaje davídico de Makhir-Teodoric, pero también la afirmación del abad Chaume de que «... los Thierry pertenecían al linaje de los merovingios. Que tenían importantes posesiones en Borgoña y que habían sido condes de Autun». Efectivamente, en ese caso, Makhir-Teodoric (Thierry) descendería de los merovingios por línea materna. Pero, de momento, esto me parece solo una hipótesis pendiente de ser demostrada, aunque es verosímil, pues una nieta de Makhir-Teodoric que era hija de Guillermo de Gellone también se llamó Rolinde, como su presunta bisabuela Rolinde de Aquitania.

Respecto a lo que dice G. Alzieu sobre la madre y los hermanos de Guillermo sí que es correcto y está contrastado con documentos fidedignos por lo que resulta indudable, ya que Alzieu se limita a reproducir la información tradicionalmente admitida, que concluye lo siguiente:

> En cuanto a Auda, su madre, todo el mundo está de acuerdo en que se trata de una hija de Carlos Martel. Existe su confirmación en un antiguo martirologio citado por Mabillon donde se dice que «su padre fue Thierry, su madre Auda, hermana de Hiltrude y de Landrade». Pues bien, todas las fuentes de esta época dan a Hiltrude y Landrade como hijas de Carlos Martel.
>
> Se conocen también los nombres de algunos hermanos y hermanas de Guillermo: los que él mismo cita en la carta de 804, Teudoinus y Adalhemus, Albana y Bertana, a los que el redactor de Aniane añade Teodorico (Thierry). Este documento nos dice que ya habían muerto. ¿Hay otros? Es probable, pero ignoramos su número, aunque sí que se conocen los nombres de otros hermanastros suyos: Aymo (o Haim), Chorso, Redburh....
>
> Albana y Bertana son las que conocemos mejor. La «Vita», que se refiere aquí efectivamente a una respetable tradición de Gellone, dice que fueron las primeras religiosas de la comunidad de monjas que existió durante varios siglos en paralelo a la de monjes. Parece que, a petición propia, Guillermo las presentó al monasterio que fundó donde se consagraron a la vida religiosa. Sus tumbas, bellos sarcófagos de Aquitania del siglo VI, se conservan ahora en el museo lapidario y antiguamente estuvieron en el crucero norte de la iglesia abacial [4].

Por otra parte, si bien me he referido ya brevemente a la alianza de sangre que hicieron los carolingios y los davídicos, *no he relatado to-*

---

davía suficientemente cómo y por qué Makhir-Natronai, quien vivía en Bagdad donde había sido exilarca o jefe de los judíos, *se marchó de Mesopotamia y se instaló en Occidente.* Para ello se ha de profundizar en la fascinante biografía del patriarca Makhir-Natronai ben Haninai David y subrayar su condición de exilarca de los judíos en la mítica Babilonia. Como se sabe, la comunidad judía de Babilonia solía estar dirigida políticamente por el príncipe de los descendientes del linaje del rey David de Israel, al que se denominaba exilarca y tenía la máxima autoridad sobre el pueblo judío en el exilio.

En efecto, en el siglo VIII, como ha subrayado Werner Keller [5]:

> ... el exilarca gobierna como jefe civil de las comunidades babilónicas, respetado por el pueblo, honrado como sucesor del gran rey David. Su residencia está en Bagdad. Posee amplias atribuciones: a él le incumbe el velar por la autonomía de su pueblo y por la puntual recaudación de los impuestos. En la corte del califa figura entre los más altos dignatarios... La república judía de Mesopotamia, con su exilarca como último poseedor del poder civil de la Casa de David y con los *geonim* de sus Academias como conservadores de la antigua tradición y portadores de alta sabiduría, aparecía ante las comunidades lejanas como el resplandor extinguido y perdido desde hacía ya tiempo, y solo allí conservado, del poder y la grandeza del judaísmo.

Desde luego, *Makhir-Natronai*, como se ha visto anteriormente, *era el jefe de los descendientes de la real Casa de David*, pues *procedía directamente de los reyes de Israel y de Judá, siguiendo por los exilarcas del pueblo judío. Es decir, que tenía como antepasados a los sucesivos jefes del linaje real de David.*

En cuanto a *los motivos por los que dejó Bagdad y se fue a Occidente*, Arthur J. Zuckerman afirma [6] lo siguiente:

> ... en el mismo periodo (hacia 768) un dirigente exilarca *(nasi)* de Bagdad fue depuesto; consiguientemente se marchó al Occidente.

> El derrocamiento de la dinastía de los Omeyas y las caóticas consecuencias de los esfuerzos de los Abasidas para hacerse con todo el

---

    [5] Werner Keller, *Historia del pueblo judío. Desde la destrucción del templo al nuevo Estado de Israel*, Ediciones Omega, Barcelona, 1994, págs. 172 y 175.
    [6] *Ob. cit.*, págs. 77 a 79.

poder causó agitaciones también dentro de los círculos dirigentes de los judíos de Babilonia. El conflicto se centró inicialmente sobre la persona del exilarca y desembocó en la puesta en duda del derecho a ejercer el poder de una rama de la familia davídica de los exilarcas. La cuestión de la *legitimidad* se planteó por las siguientes circunstancias. En el siglo VIII todos los exilarcas descendían de Bustanai (Haninai) que vivió en 610-660. Una esposa de Bustanai fue la princesa persa Izdundad (Dara-Izdadwar) hija del rey Khorsroe (o de Yazdegerd III). El califa conquistador se la dio a Bustanai y tomó a su hermana como esposa para él... De esta forma, la familia de los exilarcas emparentó con la aristocracia militar persa... y a la vez con la reinante dinastía Abasida. Sin embargo, se levantaron dudas de que Bustanai hubiese manumitido y convertido (al judaísmo) a su esposa real antes de que sus hijos naciesen. Si no fue así, sus vástagos no eran libres y, por lo tanto, estaban descalificados para desempeñar la soberanía real sobre los judíos.

Una política general propersa de los Abasidas llevó pronto a presionar a los líderes judíos para que reconociesen a los descendientes de Izdundad como exilarcas legítimos... Solomon, del linaje judíopersa obtuvo el poder hacia 752... El sucesor de Solomon como exilarca, hacia 759, fue Isaac b. Rosbihan b. Shahrijar (obviamente descendiente de Izdundad), y en su mandato, entre 763-766, el conflicto se complicó más todavía por otro factor. Anan, el primogénito hijo de David, hermano del exilarca gobernante y discípulo del destacado académico gaon Yehudai, era el primero en la línea de sucesión. Sin embargo, a causa de su independencia y posiblemente de sus tendencias heterodoxas, Anan fue apartado a favor de su hermano menor y menos contestatario Hananiah... Anan se libró de la ejecución (hacia 767) solo declarando formalmente que era el líder de una secta separatista.

Esto último lo corrobora también el historiador W. Keller, quien dice [7] que:

> Hacia la mitad del siglo VIII una escisión producida en sus mismas filas debía conmover al judaísmo del reino islámico (de Babilonia); se inició un movimiento enemigo del Talmud que se extendió con una rapidez amenazadora: el de los caraítas.

---

[7] *Ob. cit.*, pág. 175.

Tuvo su origen precisamente en un hijo de la casa Bostanai, Anán ben David, un hombre culto y ambicioso que había sido excluido de la sucesión en la dignidad de exilarca. Profundamente decepcionado, el hijo del patriarca había abandonado Babilonia y se había establecido en Palestina, donde había agrupado a su alrededor la primera comunidad de caraítas... La doctrina de Anán es una declaración de guerra contra el Talmud y los rabinos. Y está claro que tenía que remover los ánimos hasta lo más profundo y promover una activa lucha de los espíritus. Pues con esta nueva doctrina aparece de nuevo la escisión existente desde los tiempos antiguos y que se creía olvidada desde hacía mucho tiempo: la tenaz división de criterios entre los saduceos y los fariseos.

Finalmente, se ha de subrayar que Zuckerman termina su narración sobre los motivos que llevaron a Natronai-Makhir a emigrar a Occidente y a convertirse en nasi de los judíos de Francia relatando que:

... En aquellos años de discusiones sobre la sucesión al exilarcato (763-766) otros dos aspirantes reclamaron la dignidad de exilarca y consiguieron acceder al puesto simultáneamente, pero por poco tiempo. El primero fue Natronai b. Habibai (Hakhinai) —también discípulo del gaon Yehudai—, quien era un vástago del linaje puro judío descendiente de Bustanai; el otro era Zakkai b. Ahunai de la rama persa, conocido también como Baboi además de su nombre hebreo Judah. Sin embargo, por iniciativa del gaon Malka (que estaba muy relacionado con los círculos cortesanos), Natronai fue pronto depuesto por las dos academias que estaban concertadas con Judah (Baboi) Zakkai. Entonces, al cesar como exilarca, Natronai emigró a Occidente. El documento principal que describe el final de estos acontecimientos fue la famosa *Epístola* del gaon Sherira... que termina así: Malka murió y el exilarca Natronai se marchó a Occidente.

Algunos autores dicen que el padre de Natronai fue Hakhinai o Zabinai; y llaman *Tsarfat* (Francia) o *Sefarad* (España) en lugar del *lama'arabh* (a Occidente) que hay en nuestro texto, como lugar donde se estableció Natronai...

Natronai fue admirado en Occidente por sus méritos académicos. Se cree que había escrito la totalidad del Talmud para que lo conservasen los judíos de Occidente. Su establecimiento en el reino de los francos motivó que *los exilarcas (nasis) de Occidente fuesen de san-*

gre davídica más pura que los de Oriente, pues estos descendían de la princesa persa *cautiva*. El exilio de Natronai a Occidente pudo haber sido incluso por orden del gobierno abasida (destierro) [8].

Por otra parte, como se expuso en el apartado anterior, Aryeh Graboïs corrobora también la instalación en Occidente del exilarca Natronai, pues afirma [9] que «en 771, después de haber sido depuesto por sus rivales, los rectores de las academias talmúdicas de Mesopotamia, el exilarca Natronai ben Zabinaï se exilió en España (Occidente), donde fundó un centro de enseñanza rabínica autónomo del que funcionaba en Mesopotamia».

Desde luego, el relato de estas concordantes historias resulta muy interesante, pero ¿qué tiene que ver con Makhir (o Teodoric-Thierry), el padre de San Guillermo de Gellone? Pues... ¡todo!, ya que, como veremos a continuación, *A. Zuckerman demuestra que Makhir y Natronai son... ¡la misma persona!*

Efectivamente, Zuckerman pone de manifiesto [10] lo siguiente:

> ... Si Natronai fue el primer nasi de Occidente en tiempo de los Carolingios, entonces ¿a qué Makhir identifica el *Apéndice a Shk* como un príncipe y académico que inmigró de Bagdad?
>
> Como se sabe, los exilarcas de Bagdad frecuentemente tenían al menos dos nombres, un nombre familiar persa o arameo (como Natronai) y un nombre formal bíblico-hebreo. El opositor de Natronai, o sea Zakkai, también se llamaba Baboi, mientras que su nombre bíblico-hebreo era Judah. Para la judería de Occidente, el nombre bíblico del nasi sería mucho más familiar y ciertamente más aceptable en un entorno cristiano donde se adoptaban deliberadamente nombres bíblicos y clásicos para personas destacadas. Makhir pondría de relieve el linaje bíblico (davídico) de Natronai. Por entonces, el bíblico Makhir (presumiendo que este era el nombre hebreo de Natronai) pudo suplantar completamente al menos significativo en Occidente Natronai, al menos en la literatura hebrea. Esto no quiere decir que, además, no pudiese adoptar un nombre local franco o latino (o griego).

---

[8] *Ob. cit.,* págs. 79 a 81.

[9] *Ob. cit.,* pág. 51.

[10] *Ob. cit.,* pág. 82.

En definitiva, Pepín («el Breve») aparentemente reconoció a Na-tronai-Makhir como nasi de los judíos en su reino y, junto con sus hi-jos Carlos y Carloman, le concedió tierras libres heredables y un prin-cipado en el sur (de Francia).

En cuanto a la fecha exacta de la llegada a Occidente de Makhir-Natronai hay discrepancias entre los autores. Para mí, la versión más verosímil es la que ofrece Zuckerman al decir que «la misión (o em-bajada) de los francos a Bagdad llegó allí cuando las perturbaciones (legitimistas) eran más intensas en la comunidad judía... En el año 768 la embajada de los francos regresó a Marsella trayendo regalos y acompañada por embajadores de Al-Mansur... Como verosímilmente Natronai vino a Francia por mar, el depuesto nasi de los judíos debió ser un miembro de esta conjunta misión franco-musulmán procedente de Bagdad...» [11].

En fin, *lo que resulta indudable es que Makhir fue cabeza de una famosa dinastía en Occidente y que, al unirse con los carolingios y tras su vasallaje al emperador Carlomagno, dio a los carolingios le-gitimidad para gobernar por derecho divino.*

En efecto, el mismo Zuckerman dice [12] que Natronai-Makhir fue el primero de una importante dinastía y que incluso es posible que, si-guiendo el uso arábigo, llegase a ser conocido como Ha-Makhiri o Al-Makhiri de Narbona. ¿Puede verse aquí quizá el origen de la denomi-nación del *legendario* —por no identificado— Aymeri de Narbona, contemporáneo de Carlomagno y protagonista heroico de varias *can-ciones de Gesta?*

Por otra parte, en cuanto a las actividades de Makhir-Teodoric como guerrero en Occidente, algunas de sus hazañas pueden encon-trarse relatadas en los *Annales de los francos.* En efecto, en el año 782 el conde Teodoric (Thierry) —un pariente próximo del rey Carlo-magno—, que estaba en Renania, se enteró de la rebelión de los sajo-nes. Entonces reunió sus tropas y, sin esperar la llegada de Carlo-magno, se dirigió hacia Sajonia tras encontrarse con Adalgise, Geilon y Worad, enviados del rey. Makhir, como jefe del ejército franco, se

---

[11] *Ob. cit.,* pág. 81.
[12] *Ob. cit.,* pág. 131.

encaminó hacia el macizo del Süntal donde el jefe sajón Widukind había concentrado sus tropas. Allí se entabló una cruenta batalla que los *Annales de los reyes francos* describen así:

> El campo de los sajones estaba situado en la vertiente septentrional de esta montaña. Teodoric estableció el suyo del mismo lado, y sus lugartenientes... quedaron acampados en la misma ribera del Weser que habían atravesado. Pero, habiéndo celebrado consejo entre ellos, temieron ver atribuidos todos los honores de la esperada victoria al conde Teodoric si tomaba parte con ellos en la batalla. En consecuencia, decidieron atacar sin él... Como atacaron mal, combatieron mal... y los francos fueron exterminados casi en su totalidad. Los que consiguieron escapar lo hicieron regresando no al campo de que habían partido, sino dirigiéndose hacia el campo del conde Teodoric, situado al otro lado de la montaña...

En esos frentes de batalla las cosas no iban bien para los francos. Los siempre rebeldes sajones se aliaban con sus vecinos, especialmente con los paganos frisones del norte, con los eslavos y, sobre todo, con los ávaros que guerreaban con los francos. Por ello, como en la frontera con España se había conseguido paz y tranquilidad, Carlomagno se propuso reanudar la guerra contra los sajones y los ávaros, lo que ha narrado Zuckerman como sigue:

> Entre tanto, fue formándose un enorme ejército... Como era de esperar, al conde Teodoric, pariente del Rey, se le asignó un destacado papel en la nueva campaña guerrera. Teodoric tenía a su mando la tercera parte del ejército... En la guerra del Este Teodoric se distinguió en numerosas victorias... En la primavera de 793 un destacamento de fuerzas bajo su mando fue aniquilado por una banda de sajones en el Weser. El mismo Teodoric perdió la vida guerreando en Pannonia el 6 de julio de 793. Entonces su cargo y potestad recayeron aparentemente en su hijo Guillermo, nuevo príncipe de Septimania y *rey judío* de Narbona.
>
> Guillermo había aparecido por primera vez en la frontera con España como sucesor, a los veinte años de edad, del duque de Toulouse Chorso que había sido depuesto por Carlomagno en 790... Guillermo actuó rápida y efectivamente contra los revoltosos vascos obteniendo un sorprendente triunfo, tanto por astucia como por la fuerza, lo que

llevó a los rebeldes a pedir la paz en 791... Con la paz asegurada en la frontera española, Teodoric-Makhir se había unido a las tropas francas en la guerra contra los ávaros, acompañado también posiblemente por su hijo Guillermo...

... Como vástago de Makhir y de Auda, la hija de Carlos Martel, *Guillermo representaba la confluencia de las dos corrientes dinásticas davídica y carolingia*, o sea, que tenía una obvia cualificación para gobernar [13].

Esta cualificación para gobernar a la que se refiere Zuckerman era máxima, pues, desde el año 793, Guillermo era el nuevo jefe de la Casa de David y tenía *derecho divino a gobernar* por ser el jefe del linaje del Santo Grial.

En cuanto a *los descendientes de Makhir-Teodoric, se pueden agrupar en cinco ramas:* son las que se forman por el hijo y las dos hijas que tuvo con Auda Martel; por un hijo de su primera esposa y por una hija habida con alguna de estas esposas o con una posible tercera. Como tuvo cinco hijas, se ignora otra rama, la de la hija restante.

De todas ellas, *la rama principal es la de los nasi de Francia,* o sea, la que se origina en San Guillermo de Toulouse y en su hijo Bernard, marqués de Septimania y de España. Esta rama directa aparentemente se acabó el año 872 con la muerte en emboscada de Bernard David-Toulouse, hijo de Bernard de Septimania, pero, de hecho, como se ha apuntado anteriormente, otra rama significativa, procedente también de Bernard de Septimania, continuó por los Trencavel, vizcondes de Albi, Béziers y Carcassonne, a los que se vincula estrechamente con los herejes cátaros.

Además, una subrama procedente de Makhir-Teodoric fue duradera y todavía pervive. En efecto, Teodoric David, conde de Autun, hijo primogénito de San Guillermo, la prolongó por su vástago Buvin, conde en Italia, padre de tres hijos: 1) Richilda de Autun, que se casó con el rey Carlos «el Calvo», teniendo como descendientes a los sucesivos reyes de Francia carolingios; 2) el poderoso Boson David, rey de Provenza, que tomó por esposa a Ermengarda, hija del emperador Luis II, cuyos descendientes llegaron a enlazar con los capetos, y 3)

---

[13] *Ob. cit.,* pág. 181.

Richard «el Justiciero», marqués de Borgoña, del que procede, siempre por vía masculina, la subrama de los Borgoña-Troyes-Vienne que acaba en los condes y duques de Savoy (los antepasados de los actuales Saboya).

Del citado rey de Provenza Boson David proceden, además de su hijo Luis «el Ciego», rey de Italia, una subrama por su hija Willa (Gisele) de Provenza *que enlazó con los Otones, los sajones emperadores romano-germánicos;* otra subrama por su hija Engelberga de Provenza que-casó con Guillermo I, duque de Aquitania, nasi de Francia, que acabó enlazando *con los reyes capetos* y una tercera subrama por Ermengarde David de Provenza cuyo hijo fue Ratburns I, vizconde de Vienne, que tuvo una hija, *Geberga, que se casó con Foulques II, conde de Anjou, antecesor de Geoffroy V «Plantagenet», padre del rey de Inglaterra Enrique II «Plantagenet», quien encabezó esta Dinastía real.*

Por ello, en los *romans* sobre el Santo Grial, al legendario Parsifal, que se llamaba Gamuret de Anjou, y que tenía ascendencia angevina, se le consideraba miembro del linaje real del Grial.

Por otra parte, como se ha apuntado anteriormente, Guillermo, el hijo y sucesor de Makhir-Teodoric, había sido nombrado ya conde de Toulouse el año 789 en lugar del depuesto Chorso, su hermanastro. Respecto a las cualidades de Guillermo de Toulouse, Zuckerman [14] afirma que:

> ... Guillermo poseía sobresalientes habilidades militares y diplomáticas que combinaba con grandes cualidades intelectuales. Como nasi de los judíos fundó una Academia, atrajo profesores y formó una biblioteca, todo ello integrado posteriormente en el monasterio de Gellone. Él se convirtió, con todo merecimiento, en el héroe central del ciclo de Guillermo, entre las más antiguas *canciones de gesta*.

Ahora, antes de relatar las hazañas de Guillermo como guerrero, conviene describir la situación en que se encontraba la intermitente guerra con los musulmanes hispanos en los Pirineos y en sus alrededores. Ha de subrayarse que cuando los ejércitos de los francos invadieron la Península Ibérica, un cuerpo del mismo que mandaba el pro-

---

[14] *Ob. cit.,* págs. 374 y 375

pio Carlomagno entró por Navarra y acabó siendo derrotado en Roncesvalles en el año 778, pero otro cuerpo de ese ejército, con numerosas tropas septimanas, atravesó el Pirineo catalán y al paso fueron sometiendo apenas sin lucha diversas ciudades. Las tropas septimanas estaban al mando de Makhir-Teodoric.

Posteriormente, en el 785 y en los años siguientes, los ejércitos franco-septimanos se apoderaron definitivamente de algunas ciudades del Pirineo aragonés-catalán, como Urgel, Ausona, Besalú o Gerona, formándose una Marca Hispánica carolingia.

En efecto, Salrach i Marés dice [15] que:

> ... Gerona no tenía autoridades propias entre 778 y 785, por lo que la incorporación a la potestad de Carlomagno en 785 va a tener un carácter de restauración si, como se supone, la primera medida del monarca fue el nombramiento de un obispo y de un conde para la ciudad de Gerona y su territorio... El primer conde conocido de la Gerona carolingia fue Rostany, probablemente un magnate godo refugiado en Septimania o en el Rosellón. Debió ser durante su mandato, en 793, que un ejército cordobés dirigido por Abd al-Malik, asedió infructuosamente Gerona y saqueó sus alrededores...

Efectivamente, cuando murió Abderramán le sucedió como emir su hijo Hisham I, quien declaró una *guerra santa* contra los francos con la intención de extender los límites del Islam en Europa, lo que creía que sería una tarea fácil ya que entonces Carlomagno se encontraba luchando contra los ávaros al norte del Danubio, y las tropas de Luis de Aquitania se hallaban de campaña en Italia.

Gerona y Narbona resistieron el ataque de los árabes hispanos, quienes tuvieron que conformarse con asolar y destruir los cultivos y las aldeas de sus comarcas. Ante ese inesperado ataque, los dirigentes de Narbona alertaron a Guillermo de Toulouse, que estaba guerreando en la frontera del Este del reino de los francos, para que viniera con tropas en su auxilio. Lo hizo con la mayor celeridad posible, pero precisamente por esas prisas no pudo reunir suficiente contingente de soldados. Por ello, cuando se enfrentó a los invasores en las cercanías del

---

[15] Joseph M. Salrach i Marés, *Historia de Girona,* Ateneu d'Acció Cultural (ADAC), Girona, 1990, págs. 80 y 81.

Orbiel, en los alrededores de Carcassonne, sus tropas estaban en inferioridad numérica, por lo que fue derrotado por el ejército de Hisham y tuvo que abandonar el campo de batalla. Las crónicas de los francos califican esta guerra como un gran desastre, si bien los árabes se volvieron a España sin ocupar ninguna plaza fuerte, pero retirándose con un inmenso botín y con innumerables prisioneros. A pesar de estas malas noticias, Carlomagno no pudo hacer nada, ya que necesitaba la mayoría de sus tropas en la guerra del Este, y confió al valeroso Guillermo la responsabilidad de proteger la frontera con España, a pesar de la precariedad de soldados y de medios con que podía contar el conde de Toulouse. En definitiva, Guillermo se encontró de nuevo en la misma situación que Makhir-Teodoric cuando comenzó a conquistar las tierras de la Marca de España, pero ahora ya no contaba con la valiosa ayuda y consejo de su fallecido padre. Entonces, Guillermo y sus tropas iniciaron de nuevo la reconquista de las tierras hispanas del Pirineo mediterráneo.

Posteriormente, según Zuckerman, «... en 798 volvieron los francos y reocuparon y fortificaron las ciudadelas de Ausona, Cardona y Casseres. Borel fue nombrado conde de Ausona y encargado de la defensa de la comarca. Se adoptaron medidas para repoblar estas ciudades. Algún tiempo después Ausona aparece como una comunidad enteramente judía...» [16].

Después, y hasta el año 801, las crónicas de los francos guardan silencio sobre los hechos del príncipe de Septimania y conde de Toulouse. No se sabe si Guillermo estuvo ausente de Francia, y algunos autores dicen que formó parte de la embajada de los francos que en esos años se dirigió a Bagdad y a Jerusalén, donde usó su nombre hebreo de Isaac.

En 801 se preparó una expedición militar, contando con una generosa ayuda prometida por Carlomagno, para invadir la Península Ibérica y reconquistar suficientes territorios para establecer definitivamente una Marca de España. Con esa finalidad, el rey Luis de Aquitania convocó una Dieta. En ella, Guillermo hizo un largo discurso en el que propuso una vigorosa acción invasora en el sur de la frontera, lo que fue aceptado con entusiasmo.

---

[16] *Ob. cit.*, pág. 187.

El historiador Arthur J. Zuckerman, basándose en hechos bien documentados, ha descrito magistralmente esta gloriosa campaña que culminó con la toma de Barcelona. Zuckerman dice [17] literalmente lo siguiente:

> El príncipe o duque Guillermo, «jefe que llevaba el estandarte» *(primus signifier),* dirigió la expedición más allá de los Pirineos. Su hijo Heribert le acompañaba... El ejército fue dividido en tres divisiones... La tercera, bajo el mando de Guillermo asociado con Adhemar (de Narbona), se encaminó hacia el sur y el oeste preparada para enfrentarse a cualquier fuerza enemiga que se acercase. El ejército franco estaba compuesto por tropas procedentes de Borgoña, Aquitania, Gasconia, Provenza y Septimania... Los barceloneses enviaron angustiosas peticiones de socorro al emir de Córdoba... Pero cuando el ejército del emir alcanzó el Ebro, se encontró a las tropas de Guillermo bloqueando su avance, por lo que se dirigieron hacia Asturias para devastar sus tierras... Guillermo (con sus soldados) volvió al asedio de Barcelona... y comenzó a levantar alojamientos para que sus tropas pudieran protegerse durante el invierno que se aproximaba... Transcurrieron veinte días de infructuoso asedio, tras los cuales el rey Luis convocó a sus hombres para que pusieran a los barceloneses a sus pies, afirmando que no volvería a su palacio real hasta que se lograse la victoria. Guillermo era, claramente, el líder de los sitiadores francos. Por suerte, Zado, el jefe sarraceno, fue capturado. Pero hasta que no transcurrieron dos *lunas,* incluyendo seis semanas de incesantes golpes a la fortaleza, Barcelona no abrió sus puertas y se rindió a los francos. Fue «un santo Sábado». Por ser día festivo (para los judíos), las tropas victoriosas pospusieron su entrada triunfal hasta el día siguiente... Finalmente, dejaron allí una guarnición bajo el mando de Bera, y los otros jefes guerreros se volvieron a sus casas para pasar el invierno.

La conquista de Barcelona constituye el apogeo de la carrera militar del príncipe de Septimania y el último acto conocido de su vida pública. En fin, posteriormente, las crónicas y los *annales* de los francos no vuelven a mencionar a Guillermo de Toulouse. Sin embargo, la crónica de Aniane, refiriéndose al año 806, dice escuetamente: «En este año, el conde Guillermo se hizo monje en el monasterio de Aniane».

---

[17] *Ob. cit.,* págs. 193 y 194.

Esta afirmación resulta muy sorprendente ya que Guillermo, el hijo de Makhir-Teodoric, era el nasi (príncipe o jefe) de los judíos en Occidente. Sin embargo, parece ser cierta, pues es admitida como tal por los historiadores, incluso por los hebreos. Por ejemplo, Zuckerman afirma [18] que «... aunque su piedad judía parece haber sido abundante y evidente en el asedio de Barcelona, la mayoría de fuentes lo han convertido en un monje cristiano que se retiró del *mundo* y fundó monasterios, y que eventualmente fue beatificado por la Iglesia católica».

Desde luego, *el hecho de que Guillermo de Toulouse era judío de la Casa de David se puede comprobar actualmente* si se observa, en las páginas 23 y 55 de su biografía, de la que es autor Gérard Alzieu [19], el escudo de armas de Guillermo en los sellos que usaba tanto el propio monasterio de Saint-Guilhem-le-Désert como el abad de la Corte de Justicia del monasterio, en los que se ve que en su escudo solo aparecía el león rampante de la tribu de Judá y, específicamente, de la Casa real de David. En efecto, ha de tenerse en cuenta lo que simboliza tal representación, pues como ha subrayado Aryeh Graboïs [20], al referirse al último *rey judío* de Narbona, por la misma figura del león rampante «Momet-Tauros puede ser identificado fácilmente como Kalonymos IV gracias a su sello, que se conserva en el Museo Municipal de Narbona y que ha sido publicado por J. Carvallo, "Inscripcion hébraïque à Narbonne", en *Univers Israélite,* VIII, pag. 509. Este sello lleva en ambas caras el escudo del león rampante, símbolo de la tribu de Judá y de la Casa del rey David».

En fin, como ya expuse en mi libro titulado *El origen judío de las monarquías europeas* [21], debe tenerse en cuenta que, en aquellos tiempos, las relaciones entre cristianos y judíos eran generalmente muy buenas, siendo frecuentes los matrimonios mixtos y las mutuas conversiones. No obstante, existían profundas diferencias doctrinales entre ellos y, a veces, se acostumbraba a efectuar reuniones conjuntas para discutir amistosamente temas religiosos o teológicos entre judíos y cristianos para exponer sus doctrinas y, si era posible, convencer a los adversarios y facilitar su conversión. En tiempos de Guillermo de Toulouse hubo una de estas reuniones, que se hizo famosa porque en

---

[18] *Ob. cit.,* pág. 198.
[19] *Ob. cit.,* págs. 23 y 55.
[20] *Ob. cit.,* pág. 52, en su nota de pie de pág. 23.
[21] *Ob. cit.,* págs. 70-72.

ella participaron los más eruditos rabinos y los teólogos cristianos e incluso el propio Guillermo como nasi de los judíos de Occidente.

Cuando finalizó esa importante reunión, que trató de la Eucaristía y de la Santísima Trinidad, Guillermo regresó a Toulouse, donde tres años más tarde se convertiría al catolicismo. En efecto, como dice Zuckerman [22], basado en *Die münsterinchen Chroniken*, I, ed. J. Ficker, páginas 7 y 8, «... parece que *la conversión de Guillermo se atribuye a un milagro*, pues una hija suya, que tenía entonces doce años (¿Gerberga o Waildrauth?), fue alimentada durante tres años únicamente con un trocito de hostia consagrada, sin ningún otro alimento adicional».

Por mi parte, creo que es más cierto que Guillermo, en su juventud, fue íntimo amigo de Witiza, el futuro Benito de Aniane, al que reencontró posteriormente en la corte del joven rey Luis de Aquitania, y lo convirtió en su consejero y en su preceptor. La influencia de Benito sobre su amigo Guillermo fue determinante. El 14 de diciembre del 804 Guillermo dotó generosamente el monasterio que Benito acababa de fundar en Aniane y en el que se hizo monje. Poco después, Guillermo fundó su propio monasterio en el cercano pero desierto valle de Gellone, donde creyó poder vivir como un ermitaño. Por lo tanto, Benito de Aniane fue el instrumento de Dios para la conversión de Guillermo, para su retirada de los asuntos mundanos y tal vez para que se hiciese monje en su entonces recién fundado convento de Aniane.

Finalmente, se cree que Guillermo de Toulouse murió en Gellone hacia el 812. Fue enterrado en Gellone, hoy monasterio de Saint-Guilhem-le-Désert. Más tarde se le trasladó a un sarcófago del siglo IV.

Por último, *como Guillermo era el jefe del linaje de la Sangre Real o del Santo Grial, parece conveniente referirse brevemente a su familia e hijos*. Por la carta de donación al monasterio de Gellone y por el *Manual de Duoda* se sabe que se casó dos veces y que sus esposas se llamaban Cunegunda y Guibourc. De ellas tuvo varios descendientes que, según parece, fueron tres hijas: Hélinbruch o Waildrauth, Gerberge y Rolinde; así como siete hijos: Witcher, Hildehem, Thierry (Teodoric), Gaucelme, Garnier, Herbert y Bernard. Es posible que algunos murieran de pequeños. También es probable que Guillermo tuviese algunos hijos más, pero no citamos aquellos que figuran en fuen-

---

[22] *Ob. cit.*, pág. 240, nota 147.

tes no históricas, como las *canciones de Gesta*. El más famoso de sus hijos fue Bernard de Septimania, que le sucedió como nasi de Francia y jefe de la rama judía de los davídico-carolingios.

Los autores han dedicado a la narración de la vida y hazañas de Guillermo de Toulouse o de Gellone numerosas obras, basadas algunas de ellas en documentos auténticos, como los denominados *AG* y *GG*, que tratan de las donaciones hechas en el 804 a Gellone para la fundación del monasterio. En 1066 hubo en Gellone un pavoroso incendio del que se salvó solamente el denominado *Inventario de Juliofred* del 813 que analiza extensamente Arthur J. Zuckerman [23], y que se titula así: «San Guillermo Príncipe (dentro) de los límites de toda la Galia», que parece referirse a su condición de nasi o príncipe judío de Francia, ya que no era príncipe del Imperio carolingio, aunque sí que era primo hermano de Carlomagno.

Por supuesto, la vida y las obras de un personaje tan excepcional como *el jefe de la rama judía de la familia davídico-carolingia Guillermo de Toulouse, nasi de los judíos y santo canonizado por la Iglesia católica,* ha sido relatada, ensalzada y hasta mitificada, siendo difícil saber hasta dónde llega la verdad y en dónde empieza la leyenda.

Por eso, además del relato histórico de la vida de Guillermo, que he procurado narrar hasta aquí, se ha de tener en cuenta que existe también una vida legendaria que cuenta sus hazañas más o menos imaginarias.

Joaquín Rubio, en la introducción al libro titulado *Cantar de Guillermo*, que ha traducido, dice [24] lo siguiente:

> Guillermo es después de Carlomagno y de Roldán el héroe más popular de la Edad Media francesa. El apelativo de Orange proviene de una de sus conquistas, que le valió también una esposa: Orable-Guiburc. Orable es el nombre musulmán que ella pierde tras bautizarse y hacerse cristiana... Guillermo es un *narbonnais,* uno de los siete hijos de Aymeri de Narbona, pero posee otros apelativos épicos, como, por ejemplo «el de la nariz corva»... Las gestas de Guillermo y su linaje toman el relevo al ciclo del rey con el que existen algunas similitudes: Guillermo sería un pequeño Carlomagno cuyo Roldán sería

---

[23] *Ob. cit.,* págs. 229 y ss.

[24] *Cantar de Guillermo.* Traducción e introducción de Joaquín Rubio Tovar, Gredos, 1997, págs. 12-13.

Vivién y Roncesvalles sería la batalla de *Larchamp o Aliscans...* El ciclo de Guillermo de Orange o de Garin de Monglane está formado por veinticuatro cantares y es el conjunto más extendido y mejor organizado de la épica francesa medieval.

Desde luego se puede rehacer la biografía legendaria de Guillermo a través del ciclo de las *canciones de Gesta* en las que *él es el héroe, junto con las personas de su linaje,* como ha puesto de relieve Bernard Homps [25], quien dice que «*a partir de este ciclo es posible componer un árbol genealógico completo del héroe,* lo que reforzaría la impresión de coherencia dada por estos relatos legendarios que abarcan siete u ocho generaciones. Todo ocurre como si «un poeta heraldista hubiese establecido por adelantado su árbol genealógico e impuesto a los siguientes narradores el sistema».

La vida del héroe termina cuando Guillermo entra en la vida religiosa al quedarse viudo. Es el tema de *Moniage Guillaume,* larga y bella *canción de Gesta* de fin del siglo XII. El santo permanecerá en su vida eremítica hasta su muerte.

En todo caso, *la trayectoria histórica de Guillermo de Gellone*, y su itinerario de la tierra al cielo, del héroe judío al santo cristiano, *resulta tan fascinante como ejemplar* en una época en la que se inició una sociedad feudal. Tanto los Capetos como los Trencavel o los condes de Toulouse estaban orgullosos de tenerle como antepasado.

En definitiva, dado que *Guillermo era el jefe del linaje de la Sangre Real o del Santo Grial*, parece que los autores de las *canciones de Gesta* quisieron *homenajearlo narrando sus hazañas y las de su linaje,* aunque fuese en forma legendaria; pues en la Edad Media, por intereses sectarios o por miedo a los poderosos, no se podían relatar ciertos hechos históricos que eran verídicos y comprobables documentalmente, salvo que se hiciese esotéricamente.

---

[25] «Guillaume d'Orange, héros épique», en la obra colectiva *Saint Guilhem-le-Désert et sa région.* Bernard Homps, Association des amis de Saint-Gilhem-le-Désert, 1986, págs. 135 y ss.

III.2

La alianza de sangre entre los davídicos y los carolingios: sus consecuencias

═══════

E N el reino de los francos durante la época de los últimos reyes merovingios el poder se dividió entre el rey, que tenía solo la teórica autoridad de *reinar,* y el mayordomo (o *Maire du Palais*) que tenía la potestad de *gobernar.*

En tiempos del rey Chilperic II, en el primer cuarto del siglo VIII, el mayordomo de Palacio o gobernador era Carlos Martel, de la aristocrática familia de los pipínidos o arnules que también eran descendientes de los merovingios. Carlos Martel tenía gran vitalidad y desarrollaba una actividad desbordante. Su principal hazaña guerrera fue la de derrotar a los árabes en Poitiers en 732, deteniendo su avance hacia el interior de Europa. Pero, a largo plazo, su gran fortaleza, que transmitió a sus sucesores, derivó de su alianza con la Iglesia de Roma, que se manifestó inicialmente en el apoyo que prestó a San Bonifacio para evangelizar Alemania y, posteriormente, en su ayuda al papa Gregorio III, al que prometió defender frente al ambicioso rey de los lombardos.

Pepín «el Breve» y Carloman sucedieron a su padre Carlos Martel, pero, como Carloman se hizo monje y se retiró a un monasterio, Pepín quedó como único mayordomo de Palacio en el reino de los francos y siguió gobernando eficazmente como sus antecesores pipínidos.

Sin embargo, Pepín sabía que, como no era rey, su poder dependía solamente de su fortaleza, que debía imponer o recordar a todos permanentemente. En efecto, como ha dicho Jean Favier [1] para Pepín «el Breve»:

---

[1] *Charlemagne*, Jean Favier, Fayard, París, 1999, pág. 34.

... su poder, como el de Carlos Martel, no se basaba sino en la energía política y en la fuerza militar. Bastaría que un partido legitimista se aliase con el rey Childeric III para que el *príncipe* Pepín se encontrase en dificultades. Para él sería necesaria y bienvenida una legitimidad incontestable y, desde luego, una legitimidad sancionada por la Iglesia sería difícilmente discutible...

(Pero) únicamente el Papa puede invocar el buen orden del mundo, es decir, la construcción social y política querida por Dios y definida por San Agustín. «Para que el orden del mundo no sea perturbado» no significa aquí el orden público. La alusión al orden divino es clara: cada uno en su puesto. Debe ser rey el que reina. Nadie ha osado pensar que «el orden mundial» no se perturbaría si se interpretase al revés esa proposición y se quisiera hacer reinar al que es rey. Es preciso, pues, mostrar que si el merovingio no reina no es debido a que su mayordomo de Palacio se lo impide. La histórica incapacidad de los merovingios para asumir la función real pasa a ser aquí un argumento esencial.

En fin, Pepín «el Breve» llegó a la conclusión de que era la hora de sustituir a los inútiles merovingios por su propia familia, los pipínidos, pero como era un hombre de Estado y fiel aliado de la Iglesia creyó conveniente consultar al papa Zacarías, con una embajada de dos prelados, sobre la oportunidad de mantener «los reyes que había en Francia y que de tales solo poseían el nombre pero sin tener en modo alguno el poder»[2]. El Papa le respondió que «era mejor llamar rey al que tenía el poder, en vez de llamárselo al que carecía de él».

Esta *diplomática* contestación requiere precisiones. La precisión fundamental sobre este tema la ha efectuado magistralmente Jean Favier[3] cuando comenta esa frase y concluye matizando que una observación se impone aquí: es un consejo lo que se había pedido al Papa, no una investidura. Zacarías lo sabe bien, él no tiene ningún derecho a conferir la realeza. En el derecho franco es el pueblo quien elige al rey. En el derecho romano es el emperador. Clodoveo había obtenido las dos fuentes de legitimidad. Pepín no hubiera osado apoyarse en una tercera. No ignora que la elección del mismo Papa debe someterse

---

[2] *Annales Regni Francorum.*
[3] *Ob. cit.,* págs. 36 y 37.

a la sanción del emperador y que el Papa data sus actos conforme al año de reinado del emperador. Si nombrase un rey, Zacarías asumiría una autoridad que corresponde al emperador. Por ello, los enviados de Pepín han hecho la pregunta en términos generales, casi filosóficos. Solo han preguntado al Papa sobre la normalidad de una situación de hecho. Zacarías, tan perspicaz como los avisados emisarios de Pepín, no saca las consecuencias de su consejo. Sin embargo, no hay la más mínima duda de que el Papa sabía de qué se trataba.

Entonces, Pepín reunió a los nobles del reino de los francos en noviembre de 751 en Soissons, donde fue elegido rey por esos magnates.

Una vez investido de la realeza, ya podía Pepín «el Breve» aspirar a más. En efecto, así lo entiende Jean Favier, pues subraya que:

> ... Es conveniente ir más lejos. Hay que conseguir que el Papa diga lo que no ha dicho, pero que evidentemente sí que ha pensado... En noviembre, en Saint-Denis, los obispos realizan un gesto litúrgico hasta entonces ignorado en el reino de los francos: la unción real. Sin duda, el arzobispo Bonifacio es uno de ellos, ya que figura como uno de los principales prelados del reino. Es verosímil incluso que él mismo le haya echado el óleo santo. Los grandes solo tienen que aplaudir... En cuanto al Papa, se guardará de protestar contra la usurpación, y contra el gesto desconsiderado de esos obispos que no tenían su mandato para transformar el orden político establecido en el año 508 por el emperador bizantino. En apariencia, el Papa no ha intervenido en nada. El gesto de los prelados francos sobrepasa la declaración que contenían sus palabras. Pero no su pensamiento [4].

Con esta conformidad tácita del Papa, la dinastía merovingia había dejado de existir. Los *Annales* dicen sobriamente que «Pepín fue llamado rey de los Francos, ungido para esta alta dignidad con la unción sagrada por la santa mano de Bonifacio, arzobispo y mártir de feliz memoria, y elevado al trono según la costumbre de los Francos, en la villa de Soissons».

En definitiva, *la ambición casi secular de los pipínidos se había hecho realidad, gracias a la tenacidad y perspizcacia del genial Pepín «el Breve».* Por eso, Georges Bordonove ha subrayado que:

---

[4] *Ob. cit.,* págs. 37 y 38.

Cuando se observa de cerca el comportamiento de los pipínidos, es forzoso contemplar, aquí y allá, rasgos de carácter que serán precisamente los mismos que tenía el magno Emperador: la actividad incesante, la valentía, la habilidad, la prudencia, el realismo. Pero el más extraordinario es sobre todo una persistente y evidente voluntad política de conquistar el primer puesto con una ambición no disimulada [5].

Posteriormente, cuando el nuevo rey de los lombardos, Astolf, se apoderó por la fuerza del exarcato de Rávena, que era un dominio dependiente de la Iglesia de Roma, lo que significaba un primer paso en la tarea de reunificar Italia bajo su mando y un intento de reducir el Papado a una simple diócesis lombarda; el Papa, que veía en peligro la supremacía del obispo de Roma sobre los otros obispos cristianos, acudió a su aliado Pepín «el Breve», que era rey de los francos con su conformidad, a pedirle que obligase al rey Astolf a devolverle Rávena y a reprimir sus aspiraciones de unificar Italia a costa de los dominios y de los intereses del Papado.

Pero como el asunto era muy importante y urgente, en lugar de escribir al rey de los francos, creyó mejor ir personalmente a su encuentro por si era necesario presionarlo.

Cuando el papa Esteban III encontró a Pepín, le suplicó que defendiese *la causa de San Pedro y de la República romana,* a lo que, inmediatamente, accedió Pepín jurando que lo libraría de los anexionistas lombardos. *El Papa,* agradecido*, lo consagró de nuevo como rey de los francos, ungiendo también a la reina Bertrada de Laon y a sus dos hijos,* lo que se llevó a cabo en un solemne y trascendental acto celebrado en la abadía de Saint-Dénis el 28 de julio del 754, que Georges Bordonove [6] valora así: *Esta proclamación solemne borraba definitivamente el derecho de los príncipes merovingios a reinar. El Papa acababa de modificar la naturaleza misma de esta monarquía y de fundar una nueva dinastía, la de los carolingios.* Pepín y sus sucesores no serán ya meros soberanos, sino *reyes por la gracia de Dios.* Pero esta elevación conllevaba una cierta reciprocidad y engendraba

---

[5] «Charlemagne», tomo 2 de «Les précurseurs» en la colección *Les Rois qui ont fait la France,* Georges Bordonove, Éd. Pygmalion-Gérard Watelet, París, 1989, pág. 25.
[6] *Ob. cit.,* pág. 31.

deberes específicos para los reyes de los francos: en realidad ese día nació *la alianza entre el trono y el altar.*

Aquí parece necesario recordar que los últimos reyes merovingios eran solo coronados, pero no también ungidos, como se ungía a los antiguos reyes bíblicos. Por ello, Arthur J. Zuckerman ha subrayado [7] que la coronación como rey de Pepín «el Breve» y, sobre todo, su posterior investidura como patricio romano estimularon su ambición para alcanzar un *rango* superior al de rey germano, por lo que *intentó confirmar su recientemente adquirido derecho de origen divino para gobernar* mediante *el reconocimiento de que era el sucesor de los indudablemente legítimos reyes de Israel.* Además, como continúa señalando Zuckerman [8], «la subida al trono de Pepín "el Breve"... coincidió con cambios fundamentales de poder en la estructura de las relaciones mundiales. Entre otros, la revuelta de los Abasidas había dividido el mundo islámico en 750-751 separando (de Bagdad) a los Omeyas de España, el hostil vecino de Francia, que eran enemigos mortales del Califato abasida, lo que hacía inevitable una alianza entre carolingios y abasidas...

... (Por otra parte) ahora el Emperador (de Bizancio) era incapaz de proteger adecuadamente a la Iglesia de Roma de las incursiones de los lombardos...».

En consecuencia, concluye Zuckerman afirmando [9] que la situación internacional favorecía que los poderosos judíos de Narbona apoyasen un entendimiento entre los carolingios y los abassidas y que, una vez conseguido el mismo, llegaran a aliarse con los francos que serían ya amigos de los abasidas... Esa situación internacional ayudó a clarificar la política de Pepín y de sus hijos, pues les hizo ver que *era conveniente establecer un principado judío en el sur de Francia que estuviese políticamente de acuerdo con el Califato de Bagdad.*

Entre tanto, el dinámico rey Pepín «el Breve» celebró una asamblea general de los magnates del reino de los francos en Attigny en el año 765, a la que refiere Arthur J. Zuckerman [10] diciendo que si bien

---

[7] *Ob. cit.,* pág. 34.
[8] *Ob. cit.,* pág. 29.
[9] *Ob. cit.,* págs. 88 y 89.
[10] *Ob. cit.,* págs. 75 a 77

las decisiones de Attigny son desconocidas, pueden deducirse de la actividad diplomática que Pepín realizó entonces, pues en el mismo año envió una misión a Bagdad que, sin duda, estaba relacionada, principalmente, con el peligro que entrañaba la España árabe de los Omeyas e, indudablemente, con Narbona. El mismo Zuckerman menciona [11] la conclusión de F. W. Bucker sobre esa misión a Bagdad y las negociaciones que previsiblemente se hicieron allí, y que es la siguiente: «La misión diplomática a Bagdad del 765 sirvió para completar un círculo de alianzas entre el Papa, el Califa abasida y el rey de los francos contra los Omeyas y Constantinopla».

Una vez realizadas estas alianzas y conseguidos los principales objetivos de su fecundo reinado falleció Pepín «el Breve». Entonces, como dice G. Bordonove [12], cuando murió Pepín se acabó un gran reinado que no solamente prefiguró el de Carlomagno, sino que es indisociable al mismo. La posteridad se ha mostrado relativamente injusta con Carlos Martel y con Pepín, pues la grandeza política de Carlomagno tiene su punto de partida en el reino de su padre y en la obra de su abuelo. Desde luego, Pepín había recogido los frutos de los trabajos pacientes de sus antepasados, pero *él había conseguido transformar la vieja monarquía de los francos en monarquía de derecho divino en beneficio de Carlomagno y de toda su familia.*

Al comenzar el reinado de Carlomagno la situación internacional era la que se expone a continuación, según afirma G. Bordonove:

> El Califato de Bagdad estaba debilitado por la disidencia de los moros de España, mientras que su vecino, el Imperio de Bizancio era poderoso. Le convenía al Califa aliarse con el rey de los francos, el más fuerte de Occidente, pues ambos tenían al emir de Córdoba como enemigo común. La diplomacia no perdía el tiempo: Haroun quería enfrentar a Carlomagno contra el emir rebelde; Carlomagno deseaba enfrentar a Haroun contra Bizancio [13].

Además, *antes Pepín y ahora su hijo Carlomagno pretendieron convertirse en sucesores de los bíblicos reyes de Israel para llegar a*

---

[11] *Ob. cit.,* pág. 76, nota 8 al pie de página.
[12] *Ob. cit.,* pág. 35.
[13] *Ob. cit.,* pág. 244.

ser por derecho divino los líderes o emperadores de la Cristiandad, que era el nuevo *pueblo elegido.* Con este fin llevaron a cabo una *alianza permanente de sangre* con los herederos de la Casa de David, a la que precedieron determinados hechos significativos a los que se refiere el historiador Arthur J. Zuckerman [14], quien dice en las conclusiones de su citado libro, entre otras cosas, que la Casa de los arnules o carolingios tenía... el propósito de adquirir el derecho de gobernar por mandato divino sucediendo a los bíblicos reyes de Israel. Sus ambiciones de convertirse en emperadores llevó a Pepín y a Carlomagno a aliarse con el califa abasida y con unos leales súbditos suyos: los judíos que habitaban en el reino de los francos. Como consecuencia de la promesa de Pepín de conceder el reconocimiento de un príncipe de su estirpe real, los judíos rindieron la sitiada Narbona a los francos el 759. Pepín cumplió su promesa poco más tarde cuando Natronai-Makhir, un exilarca de la Casa de David, fue obligado a exiliarse al Occidente tras una rebelión política en Bagdad, convirtiéndose en el primer nasi en las tierras de los carolingios, a invitación de estos. Entonces, el rey Pepín y sus hijos establecieron un dominio en el Sur de Francia como un Principado judío en el 768.

Esta conclusión se basa efectivamente en *una tradición fidedigna,* pues, como ha dicho A. Graboïs:

> ... Esta tradición se fundamenta en un hecho auténtico. Hacia el año 771, después de haber sido depuesto por sus rivales, los rectores de las academias talmúdicas de Mesopotamia, el exilarca Natronaï ben Zabinaï se exilió en España... Sin embargo, como sus huellas se perdieron en España, varias comunidades, entre ellas la de Narbona, han hecho valer esta tradición, con variantes, referidas a las circunstancias locales... [15].

En aquellos tiempos, por España se entendía «tierra de los godos», por lo que el término *Hispania* incluía a veces también a Septimania y a su capital, Narbona.

---

[14] *Ob. cit.,* págs. 372 y 373.
[15] *Ob. cit.,* pág. 51.

En fin, lo que parece indudable es que cuando estaba ya en Francia Makhir-Natronai, el rey de los francos, Pepín, lo acogió en la nobleza y le dio el distinguido nombre franco de Teodoric.

De otra parte, se ha de tener en cuenta que los descendientes de Makhir-Natronai o Teodoric (Thierry) de Autun, príncipe de Septimania, duque de Toulouse y cónsul de Narbona, proceden tanto de su matrimonio con la princesa carolingia Auda Martel, celebrado en Francia después del 768, como de su primer matrimonio, contraído en Bagdad mucho antes de su llegada a Europa, que verosímilmente se realizó con una mujer judía, con la que tuvo varios hijos. También pudo tener vástagos de un tercer enlace matrimonial, al enviudar de su primera esposa... En total, *de sus matrimonios parece que tuvo cinco hijas y, por lo menos, tres hijos.*

En fin, entre los sucesores y descendientes de David y los carolingios se celebraron numerosos matrimonios que unieron ambas dinastías reales, como ya he especificado en mi libro *El origen judío de las monarquías europeas* [16], integrándose sus vástagos *en una nueva familia davídico-carolingia* que se dividió en *varias ramas, en su mayoría cristianas.*

En resumen, a continuación se detallan los principales enlaces matrimoniales de los carolingios con Makhir-Teodoric y sus descendientes, que ya se expusieron en mi citado libro. Son los siguientes:

1. Makhir David-Teodoric con Auda Martel, hermana del rey de los francos Pepín «el Breve».

2. Guillermo de David-Toulouse (San Guillermo de Gellone) con Cunegunda de Austrasia, hija de Carloman, rey de Austrasia, Borgoña y el Sur de Francia, el hijo menor de Pepín «el Breve».

3. Berta (Bertana) de David-Toulouse, hija de Makhir-Teodoric, con Pepín I (Carloman) rey de Italia, hijo de Carlomagno.

4. La hija de Makhir-Teodoric, Auba (Aldana) David, con el pipínido Nivelon «el Historiador», conde de Borgoña, primo hermano de Pepín «el Breve».

5. El nieto de Makhir-Teodoric, Bernard de Septimania, con Duoda, hija de Carlomagno y Madelgard.

---

[16] *Ob. cit.,* págs. 103 y 104.

6. La nieta de Makhir-Teodoric, Cunegunda de Gellone o de David-Toulouse con el rey Bernard de Italia, nieto de Carlomagno.
7. Boson David, rey de Provenza, con Ermengarde, hija del emperador Luis II.
8. La davídica condesa de Vermandois, con Pepín de Italia, señor de San Quintín, hijo de Bernard, rey carolingio de Italia
9. Richilda de Autun, nieta de Teodoric David, conde de Autun, el hijo mayor de San Guillermo de Gellone, con Carlos II «el Calvo», rey de Francia.
10. La davídico-carolingia Beatriz de Vermandois con el biznieto de San Guillermo de Gellone, el robertino rey de los francos Roberto I, abuelo del monarca francés Hugo Capeto.

Por último, debe tenerse en cuenta que, además de estos enlaces matrimoniales que se acaban de relacionar, se celebraron algunos más entre los davídicos y los carolingios de la Italia medieval. Entonces, si a la anterior relación se añaden también los que se llevaron a cabo con descendientes de los carolingios italianos, resulta que *entre los carolingios y los davídicos se realizaron más de veinte uniones matrimoniales.*

En definitiva, mediante esta alianza de sangre *los carolingios consiguieron que los soberanos de su dinastía fuesen los sucesores de los reyes de Israel,* por lo que a Carlomagno comenzó a denominársele David en la corte de los francos. Por ello, Laurence Gardner ha podido afirmar [17] que «... en muchos sellos y adornos medievales el pez y el león (de Judá) aparecen entrelazados con la flor de lis, lo que indicaba los lazos reales entre Francia y Judea, y que también la Casa real de los escotos incorporaría más tarde a su divisa el león, el pez y la flor de lis. En la tradición artúrica, los reyes pescadores de la familia del Grial representaban a los soberanos descendientes de David...».

Por su parte, A. Sinclair dice [18] que «el lirio o flor de lis era el símbolo que habían adoptado los reyes de Francia, y también era un símbolo de los Saint Clair: daba a entender la pertenencia de Cristo al linaje real de David, y quizá también la pertenencia de los Capetos y de la familia Saint Clair, con su sangre francesa, al mismo linaje».

---

[17] *Ob. cit.,* págs. 228 y 229.
[18] *Ob. cit.,* pág. 115.

En fin, tal vez por la fusión de linajes y el consiguiente parentesco que se había logrado con las uniones habidas entre los carolingios y los davídicos makhiris, y por el apoyo de los judíos a las guerras de los carolingios contra los árabes que dominaban España, Carlomagno puso en práctica una fecunda política de tolerancia y de concordia entre los cristianos y los judíos que vivían en el reino de los francos, que se concretó en una feliz época de respeto y de aceptación de los judíos como no la habían tenido antes ni la volverían a tener después en Europa.

Así lo reconoce Werner Keller en su *Historia del pueblo judío* cuando dice:

> Con la instauración de los carolingios se inicia también para los judíos... de Europa una época de paz y de vida tranquila.
> ... Carlomagno tomó a los judíos bajo su tutela. Les aseguró la protección de sus vidas y de su honra, del ejercicio de su religión y de su propiedad. Al mismo tiempo les concedió la libertad de comercio... [19].

Desde luego, la razón última de que en esa época los judíos convivieran en paz y armonía con los cristianos y de que incluso cooperasen con los carolingios y con los godos o hispanos en las luchas de reconquista contra los árabes omeyas era la mencionada *alianza permanente de sangre* que se realizó entre los carolingios y los davídicos.

Esta política favorable a los judíos continuó con los primeros sucesores de Carlomagno, ya que no era una decisión exclusiva del Emperador, sino la consecuencia resultante de esa *alianza de sangre entre los davídicos y los carolingios, que terminó creando una singular familia davídico-carolingia: el linaje del Grial.*

Por ello, es congruente con tales hechos que, como subraya el citado historiador Werner Keller:

> ... los derechos y la protección que por vez primera habían disfrutado los judíos bajo Carlomagno se vieron todavía ampliados y reforzados bajo el gobierno de sus sucesores. Ludovico Pío (que reinó en 814-840), a pesar de su religiosidad que le valió el sobrenombre que lleva, les concedió también su favor. Incluso les permitió ser recaudadores de tributos, infringiendo las prescripciones del Derecho Canó-

---

[19] *Ob. cit.,* págs. 177 y 178.

nico que prohíben expresamente el que los judíos posean ninguna fuerza sobre los cristianos. En atención a su religión, Luis ordenó que el día que tenían lugar los mercados, que era el sábado, fuera trasladado a otro día de la semana. Fue el primer monarca cristiano que puso a los judíos bajo su tutela directa y nombró un funcionario con el cargo de «Magister de los judíos», el cual era responsable de que nadie violara sus derechos. Las comunidades, así como los judíos individualmente, fueron provistos de salvoconductos que les aseguraban la protección personal del soberano...

Esta política tolerante favoreció al reino carolingio. La industria y el comercio experimentaron un rápido desarrollo....

Desde el sur de Francia, donde la población judía era especialmente numerosa, los judíos se extendieron por todo el nordeste. Establecieron comunidades en la Champaña, en Lorena, en la región del Rin, en Metz y en Tréveris, en Coblenza, en Espira y Worms... [20].

Por lo tanto, como los reyes que gobernaban las naciones integrantes del Imperio carolingio eran de la misma familia que los descendientes de David establecidos en Occidente resulta comprensible que entonces los judíos fuesen tratados por los cristianos con respeto y consideración. En la práctica, los hebreos instalados en Europa tenían los mismos derechos personales y sociales que los cristianos, incluso el acceso libre a la propiedad heredable de tierras de cultivo y a todas las actividades económicas, como ha sido reconocido por Werner Keller, quien afirma que «(en el sur de Francia) la población judía poseía tierras, campos y viñas y desplegaba actividad en todas las ramas de la agricultura, así como en la artesanía y en el comercio de importación y exportación en todos los puertos... Todas las grandes comunidades judías poseían en propiedad, además de la sinagoga y de la escuela, una casa de baños y una panadería, una casa gremial y un edificio para bodas y bailes, y también un hospital y un cementerio. En Narbona, en el límite occidental de la ciudad, había una "Villa judaica" (autónoma) cuyos habitantes eran los propietarios de las viñas y minas de sal cercanas. También había suburbios judíos en Beziers, Nimes, Arles y otras ciudades...» [21].

---

[20] *Ob. cit.,* págs. 187 y 188.
[21] *Ob. cit.,* págs. 197.

En fin, ahora que se han narrado los principales hechos relativos a la descrita *alianza permanente de sangre* entre los davídicos y los carolingios, pueden especificarse todas *las consecuencias* de esa alianza resumiéndolas en los siguientes puntos:

— *El establecimiento del Principado judío autónomo de Septimania*, cuya instauración, desarrollo, grandeza y decadencia se relatarán en el apartado siguiente de esta obra.

— *Los carolingios*, al unirse por enlaces matrimoniales con los miembros de la Casa de David, *formaron una familia davídico-carolingia que asumió la legitimidad para gobernar a las naciones que Dios había concedido a David y a sus descendientes*. De esta forma, los sucesores del rey de los francos Pepín "el Breve" consiguieron plena potestad de *gobierno por derecho divino,* por lo que su hijo, *Carlomagno, podía ser coronado emperador* de los romanos como sucesor en Occidente de los antiguos Césares y de los bíblicos reyes de Israel y de Judá, y asimismo *como caudillo del nuevo pueblo elegido de Dios,* que era *toda la Cristiandad,* reafirmando y haciendo perdurable *la alianza entre el trono y el altar*, que le comprometía a proteger a la Iglesia católica y al Papa de Roma.

— Es un hecho histórico indudable que en la época de los carolingios, especialmente en el reinado del emperador Luis "el Piadoso", el respeto y la consideración hacia los judíos alcanzaron su máximo nivel: un buen ejemplo de ello tiene lugar cuando el príncipe Bernard de Septimania, nasi o jefe de los judíos de Francia, fue nombrado por ese emperador chambelán de su palacio, lo que equivalía a ser el principal personaje de la Corte, por lo que, durante un corto periodo de tiempo, el nieto de Makhir David-Teodoric de Autun fue la segunda autoridad del Imperio. Es decir, *el jefe de los judíos de Occidente fue, de hecho, el verdadero gobernador de los francos*, a pesar del consiguiente enfado de los altos dignatarios de la Iglesia y de la Corte, quienes no dejaron de conspirar contra él hasta lograr su destitución. En el próximo capítulo de este libro se verá que Bernard de Septimania fue, según los judíos, el patriarca del *linaje del Santo Grial.*

— La fecunda concordia y cooperación entre cristianos y judíos trajo la paz y la prosperidad al reino de los francos.

— La pervivencia de una rama colateral de la familia davídica de Makhir- Natronai como *nasis* de la comunidad judía de Narbona hasta 1306, en que fueron expulsados de Francia los judíos. En efecto, A. Graboïs ha especificado los nombres de los miembros de la dinastía de los *reyes judíos* de Narbona hasta esa fecha [22], pues la crónica de Narbona de 1161 le ha permitido concretar la genealogía de esta familia en los siglos XI y XII y, además, gracias a los datos sacados de los diplomas narbonenses, le ha sido posible continuarla hasta 1306 añadiéndole precisiones cronológicas.

— La premeditada *alianza de sangre* entre la Casa Real de David y los carolingios dio lugar al nacimiento de una nueva y fecunda dinastía davídico-carolingia que, mediante sus numerosísimos descendientes, han gobernado Europa, y la siguen gobernando actualmente, bien como reyes de alguno de sus Estados, bien como líderes sociales en los diversos ámbitos de la actividad humana.

Esta familia davídico-carolingia fue la continuadora del *linaje del Santo Grial.* Todos los emperadores o los reyes europeos que han liderado la Cristiandad entre los siglos VIII a XVI pertenecen a esa familia real perdurable, como ya he demostrado en mi citado libro titulado *El origen judío de las monarquías europeas.*

[22] *Ob. cit.,* págs. 51 y 52.

III.3

El Principado judío de Septimania: de la grandeza a la desintegración

E N este apartado se va a relatar brevemente *el nacimiento, el desarrollo y la desaparición del Principado judío de Septimania* que tuvo por capital a Narbona, en el sur de Francia.

A la historia de ese Principado, Arthur J. Zuckerman ha dedicado un extenso y documentadísimo libro [1], en el que llega a unas fidedignas e importantes *conclusiones* que son claves para entender la Historia de Europa y a las que se ha hecho referencia anteriormente. Zuckerman dice en esas conclusiones que, como consecuencia de la promesa del rey Pepín «el Breve» de conceder el reconocimiento de un príncipe de su estirpe, los judíos les rindieron la sitiada Narbona a los francos en 759. Pepín cumplió su promesa poco más tarde cuando Natronai-David, un exilarca de la Casa de David, fue obligado a exiliarse al Occidente tras una rebelión política en Bagdad, convirtiéndose en el primer *nasi* en las tierras de los Carolingios, a invitación de estos. Los judíos lo aclamaron como Messiah ben Ephraim, cuya llegada a Occidente el año 768 coincidió con el fin de setecientos años de ruina del Templo, los correspondientes al periodo *profetizado* y calculado para la duración del gobierno de Edom-Roma, el cuarto Reino y su conquistador bárbaro.

El establecimiento del *Principado judío de Septimania* en la parte que poseyeron los godos de la provincia romana Narbonense ha sido estudiado con detalle en el apartado II.3) de mi libro titulado *El origen judío de las monarquías europeas,* al que remitimos al lector deseoso de profundizar en el tema. La creación de ese Principado judío

---

[1] Arthur J. Zuckerman, *A Jews Princedom in Feudal France, 768-900,* Columbian University Press, 1972, págs. 372 a 378 (Conclusiones).

ha de ser entendido en el contexto y en las circunstancias entonces existentes; es decir, teniendo en cuenta la situación internacional y las relaciones políticas que había entre las naciones más poderosas.

Desde luego, los carolingios, al efectuar una alianza permanente con el jefe de la Casa de David y al establecer una colonia judía en Narbona, intentaban proteger su reino con un *tapón* fronterizo de las incursiones de los árabes Omeyas, que poseían la Península Ibérica en su práctica totalidad. La protección y la expansión de la frontera sur-suroeste del reino de los francos tenía para ellos gran importancia estratégica.

En todo caso, es esclarecedor, y corrobora lo expuesto en los últimos párafos, lo que dice J. J. Collins en su obra *Sangraal, The Mystery of the Holy Grail*, quien afirma literalmente que «... uno de los más misteriosos entresijos de la historia es la crónica del Principado de Septimania. Fue concedido por Pepín III ("el Breve") para albergar la numerosa población judía del sur de Francia a su primer rey Teodoric (Thierry), de quien se decía que descendía en línea directa del mismísimo rey David, además de su ascendencia (materna) merovingia. Tanto ese rey como el Papa conocían su genealogía. Su hijo, Guillermo de Gellone, fue un famoso y casi legendario héroe sobre el que se han escrito por lo menos seis epopeyas medievales, incluso el *Wilehalm* de Wolfram von Eschenbach. Pertenecía a la familia del Grial. Un descendiente suyo, diecisiete generaciones más tarde, fue Godofredo de Bouillon, líder de la primera Cruzada, a quien el Papa le hizo rey de Jerusalén».

Por otra parte, respecto a la situación de los judíos de Septimania, especialmente en la Narbona medieval, el profesor de la Universidad de Haifa Aryeh Graboïs ha escrito [2] lo siguiente:

> La comunidad judía de Narbona, una de las más antiguas en la Galia, conoció en la Edad Media un auge, tanto en el plan económico como en el espiritual, que la convirtió en uno de los centros más importantes de la Diáspora judía... la comunidad de la metrópoli del Lan-

---

[2] Artículo titulado «La dynastie des rois juifs de Narbonne», por Aryeh Graboïs, que se encuentra en las páginas 49 a 54 del segundo tomo: «Narbonne au Moyen Age», de la obra en tres volúmenes denominada *Narbonne. Archéology et Histoire*, XLV Congreso de la Fédération historique du Languedoc méditerranéen et du Roussillon, Montpellier, 1973.

guedoc llegó a ser... un centro espiritual, cuya influencia se extendía más allá de la provincia occitana y cuya fama, de los siglos noveno a duodécimo, se extendía por el conjunto de las comunidades judías europeas (como ha señalado S. W. Baron en los tomos IX-X de su obra *A Social and Religious History of the Jews*)... Los dirigentes de esta comunidad tomaron el título de *nasi,* habitualmente reservado a los dirigentes judíos cuya autoridad es reconocida en el conjunto de la Diáspora.

Según el testimonio de *una crónica hebraica* anónima, redactada en Narbona hacia 1161 [3], esta función se mantuvo en una sola familia, cuyos miembros han desempeñado sucesivamente el cargo de jefes de la comunidad de Narbona. Su prestigio, que desbordaba los límites de la ciudad y de las regiones limítrofes, se desarrolló basándose en una tradición que los hacía descendientes del rey David...

Esta *tradición hebraica* está confirmada por un texto, compuesto hacia la misma época, redactado en la abadía de Lagrasse, que se conoce con el nombre de crónica «Pseudo-Philomena» en el que, sin embargo, se afirma que Carlomagno no hizo venir de Bagdad al dirigente judío Makhir David, sino que este se encontraba ya en Narbona, donde, en el asedio, le envió al rey de los francos una delegación para proponerle la rendición de la villa, con la condición de que se mantuviesen tanto los privilegios que tenían los judíos bajo la dominación de los sarracenos como el título real que poseía el jefe de la comunidad. Como la propuesta fue aceptada, los judíos ayudaron a los francos a conquistar Narbona que Carlomagno repartió entre el arzobispo, Aymeri de Narbona y los judíos, además de confirmarle al descendiente de David su título real...

La existencia de la crónica «Pseudo-Philomena» la corrobora también Zuckerman, pues dice [4] que «F. Ed. Schneegans, que llevó a cabo la edición definitiva de las *canciones de Gesta,* demostró que estas se basaban en antiguos textos o registros históricos o literarios del sur (de Francia). El monje que fue el autor-recopilador declaró que él había

---

[3] A. Graboïs se refiere a un fragmento de crónica, que forma en los manuscritos Adler de Londres un Apéndice al «Sepher Ha-kabbalah» (El Libro de la Tradición) de Abraham ben-Daoud, de Toledo. El texto fue publicado, con el fragmento en cuestión, por Ad. Neubauer, en *Medieval Jewish Chronicles,* I, Oxford, 1885; el Apéndice se encuentra en las páginas 82-84.

[4] *Ob. cit.,* pág. 69.

reelaborado una vieja historia, casi destruida, escrita por un cronista de Carlomagno llamado Philomena. Este relato de las hazañas de Carlomagno se publicó en su monasterio de Lagrasse».

En fin, como ya se ha apuntado anteriormente, la principal responsabilidad de Makhir-Natronai y de la judería de Septimania era la de ser guardianes de la frontera con España y de la costa mediterránea contra los ataques de los sarracenos Omeyas. Lo cual no significa que no fuese convocado para guerrear contra los enemigos de los francos en otras partes del reino, pero para cualquier proyecto de invasión de la Península Ibérica resultaba indispensable el apoyo de las fortalezas de Septimania que dependían de Makhir-Teodoric.

En el año 781 Carlomagno convirtió Aquitania en un reino autónomo que concedió a su hijito Luis, quien solo tenía tres meses. De hecho, el reino fue gobernado por condes, siendo el de Toulouse, que era la capital del reino, una especie de virrey.

Posteriormente, en el año 785, la situación en Aquitania andaba bastante revuelta y las tropas del rey Luis no dominaban la situación. Entonces, como relata Zuckerman:

> En Aquitania, Carlomagno adoptó medidas para asegurarse la obediencia de la población y de los obispos... También nombró varios nuevos condes y abades y envió un emisario real...
>
> ... Se conocen los nombres de nueve de estos condes, entre ellos los de Haimo (o Aymo) en Albi, Iterius en Auvergne, Abbo en Poitiers, Bull en Velay y Chorso en Toulouse... No se menciona a Septimania y al Narbonesado, pues parece que estaba reservado a Makhir-Teodoric...
>
> G. Amardel, P. Tisset y otros han identificado al conde Teodoric como padre del conde Guillermo de Toulouse y como marido de Auda, la hermana del rey Pepín «el Breve». Amardel dice que Teodoric abandonó su cargo como conde de Narbona a favor de Milo, pero a cambio de un puesto más importante en Sajonia. Sin embargo, *dejó a sus vástagos como condes en las principales ciudades del Mediodía francés...* [5].

En efecto, entre los condes que se acaban de mencionar había dos hijos de Makhir-Teodoric: Haimo (o Aymo), conde de Albi, y Chorso, conde de Toulouse.

---

[5] *Ob. cit.,* págs. 128 y 130.

Por otra parte, los preparativos para una invasión de España por los francos se habían concretado anteriormente en el año 777 cuando se celebró una Dieta en Paderborn a la que acudió el gobernador de Barcelona, llamado Suleiman ben Yoktan al-Arabi, ofreciendo a Carlomagno su vasallaje y el de las ciudades que dominaba. Entonces se decidió una guerra de conquista que permitiese crear una Marca Hispánica, y se preparó minuciosamente esa invasión, dividiéndose el ejército de los francos en dos mitades, pues mientras una parte de las tropas, mandada por Makhir y otros jefes guerreros, entrarían en España por el este pirenaico, o sea por Septimania, la otra parte, a las órdenes del propio Carlomagno, invadiría España por el Pirineo occidental. Tanto por la historia como por la leyenda se conoce bien el resultado adverso de la invasión por Navarra que terminó con el desastre de Roncesvalles y el regreso de Carlomagno a Francia.

En cambio, se conoce poco y mal que las tropas francas y judías procedentes de Septimania tuvieron un gran éxito, pues se hicieron con Gerona y otras pequeñas ciudades, que se sometieron al rey de los francos. En efecto, durante el periodo 785-790, las tropas del rey Carlomagno, mandadas por sus condes o duques, y con la decisiva cooperación de los numerosos judíos de Septimania y de todo el sur de Francia, conquistaron Gerona, Ausona, Urgel y una gran parte de la costa mediterránea. De hecho, una extensión considerable del norte de España en la zona pirenaica estaba ya sometido al rey de los francos.

Por supuesto, como ha dicho el citado Zuckerman [6], Makhir y sus ayudantes estuvieron sin duda implicados en esta expedición, pues se cree que Makhir tuvo mucho que ver en la buena disposición de los walis locales a unirse a los francos. La defección de Suleiman en un momento crítico, y de hecho el abandono de la invasión, fue un severo golpe personal para su amigo Makhir...

Desde luego, según afirma también Zuckerman [7], Alcuin relató que durante el periodo 785-790 los duques y tribunos de Carlomagno capturaron en Hispania Gerona, Urgel, Ausona y unas trescientas millas a lo largo de la costa. Estos victoriosos avances se hicieron sin la participación del rey, que pasó los años 790 y parte de 791 en los al-

---

[6] *Ob. cit.,* pág. 127.
[7] *Ob. cit.,* pág. 137.

rededores de Worms. Entonces, el norte de España iba pasando al dominio de Carlomagno. Las victorias se lograron con un coste relativamente bajo, más por medios diplomáticos que por las armas. Septimania, con sus líderes judíos, tenía mucho que ver en estas victorias.

Posteriormente, se produjo *un hecho trascendental para el Principado judío de Septimania*. En efecto, Arthur J. Zuckerman [8] dice que Alexandre Dumège describió el contenido de un documento que localizó en la Abadía de Lagrasse, tal vez un resumen de un *privilegium* de Carlomagno ahora perdido. Zuckerman escribe literalmente que «A. Dumège informó en 1829 de la existencia de un manuscrito en los archivos de la Abadía de Lagrasse (cerca de Narbona) en los años anteriores a la revolución, que decía que un rey de los judíos, un descendiente de la Casa del poeta Daniel, había dirigido un distrito de la ciudad de Narbona durante el reinado de Carlomagno. Según Dumège, el documento relataba que en 791 los judíos enviaron una embajada a Carlomagno de diez israelitas encabezados por Isaac, uno de los judíos más ricos de su tiempo. Estos embajadores le ofrecieron 70 marcos de plata a cambio del privilegio de tener un rey judío en Narbona permanentemente. Carlomagno accedió a ello y les concedió aquella porción de esa ciudad donde estaban establecidos».

Parece que el jefe judío de esa delegación, el denominado Isaac, era el propio Guillermo de Toulouse, el hijo de Makhir-Teodoric.

En fin, Zuckerman concluye [9] que: «El Principado judío, establecido por los reyes de los francos el 768, a la cabeza del cual estaba Natronai-Makhir, se convirtió en *una institución permanente* localizada en un extenso territorio a ambos lados de los Pirineos y a lo largo de las costas del Mediterráneo», y el mismo autor afirma [10] lo siguiente: «... puede decirse que el documento perdido del 791, un privilegio real o capitulación, confirmó, al menos parcialmente, el decreto de Pepín del 768. Además, ordenaba que el Principado judío se convirtiese en una institución permanente y confirmaba asimismo al nasi judío y a la judería de Narbona (conjunta o separadamente) la posesión de, por lo menos, la mitad de la ciudad y la mitad de la renta por portazgos, co-

---

[8] *Ob. cit.*, pág. 63.
[9] *Ob. cit.*, pág. 137
[10] *Ob. cit.*, págs. 171 a 174

mercio y producción de sal en el condado. Verosímilmente, este documento fue examinado por el redactor del *Apéndice del ShK* o por su informante, y es la fuente de los hechos que señala... Además, el Capitulario de Carlomagno del año 791 corroboró que ese privilegio real fue emitido probablemente en Worms o en Ratisbona y que *tenía específico carácter constitucional*. Su finalidad principal era la de confirmar como una institución permanente el exilarcado-patriarcado judío de Occidente. Probablemente fijaba el rango real y la sucesión del nasi, y asimismo garantizaba su posesión de la mitad de las tierras y de la renta dentro de Narbona y en sus alrededores, tanto en Septimania como en la región de Toulouse, y definía los derechos y privilegios de la judería en el reino de los francos. En esta ocasión fue nombrado presumiblemente Guillermo (¿Isaac?) como sucesor de su padre».

Estas decisivas conclusiones de Zuckerman sobre el Principado judío de Septimania son concordantes con la descripción que se halla en el citado *Apéndice al ShK,* que es la siguiente:

> Este Príncipe (Nasi) Makhir se convirtió en el jefe de allí (Narbona). Él y sus descendientes fueron parientes del Rey (Carlomagno) y de todos sus descendientes... El pueblo de Israel «en todas las tierras» (de Francia y, quizá del Imperio carolingio) reconocieron su autoridad y aceptaron su jurisdicción, que fue ejercida, aparentemente, a través de los miembros locales de la real casa de los judíos.
>
> Además, él (Makhir) y su dinastía fueron líderes en su tiempo, gobernantes y jueces en todos los territorios, virtuales exilarcas, pastoreando a Israel con toda confianza y destreza.

En definitiva, el autor del *Addendum a Shk,* describiendo paralelamente los principales temas que se encuentran en el *privilegium* de Carlomagno del 791, que se llama *el sello*, llega a corroborar, según concluye Zuckerman [11], «... *el establecimiento del Principado judío de Narbona como una institución permanente* y subraya *el parentesco de sangre* de Makhir y sus descendientes con Carlomagno y sus sucesores, en el reino de los francos...».

A la vista de las sorprendentes identidades de contenidos y fechas entre ambos registros, parece segura la conclusión de que el docu-

---

[11] *Ob. cit.,* págs. 143 a 145.

mento perdido del que Dumège informó anteriormente que se hallaba en la Abadía de Lagrasse fue, o bien el verdadero *privilegium* descrito en el *Addendum a Shk*, o bien una transcripción del mismo. En cualquier caso, el *rey* del documento podría corresponder al «Príncipe (Nasi) Makhir» mencionado por Shk. Por lo tanto, el Principado establecido por los reyes de los francos el 768 se convirtió en una institución permanente (Patriarcado, principado o *monarquía*) mediante una ley de Carlomagno del año 791... En el siglo once, el Arzobispo de Narbona intentó controlar estrechamente por sí mismo al vizconde local y a la judería de allí... significativa información sobre las probables posesiones del Nasi y de la Judería de Narbona en la mitad del siglo once.

Estas conclusiones sobre la formación y el desarrollo del Principado judío de Septimania, liderado por Makhir-Teodoric, han sido corroboradas por Laurence Gardner, quien afirma lo siguiente:

> El reino judío de Septimania (que corresponde al actual Midi) fue fundado en el año 768 y abarcaba desde Nimes a los Pirineos, con Narbona como capital...
>
> Teodorico, al que los árabes llamaban Makhir-Teodoric, estaba casado con Alda, la hermana de Pipino el Breve, y un hijo de este matrimonio, Guillermo de Tolosa, accedió al nuevo trono del reino de Septimania. Guillermo no solo pertenecía al linaje merovingio, sino que poseía el título de «Monarca de Judá», que llevaba aparejada la distinción patriarcal de «Isaac»...
>
> Carlomagno aceptó confirmar la coronación de Guillermo como soberano de Septimania. También la apoyó el califa de Bagdad y, aunque más reacio, el Papa. Todos ellos sabían que el rey Guillermo, de la casa de Judá, era el verdadero sucesor de la casa de David [12].

Además, L. Gardner asegura [13] que «trescientos años después, el linaje davídico aún se mantenía en el Rosellón, a pesar de que el reino como tal había dejado de existir. En el año 1144, el monje de Cambridge, Teobaldo, declaraba al iniciar un sumario por el caso de un asesinato ritual contra los judíos de Norwich:

---

[12] *Ob. cit.,* págs. 284 y 285.
[13] *Ob. cit.,* pág. 285.

El jefe y los rabinos de los judíos que predican en Hispania y se reúnen en Narbona, donde reside la semilla real y donde se les tiene en gran estima.

En 1166, el cronista Benjamín de Tudela menciona que los herederos davídicos aún mantenían el poder en regiones importantes:

> Narbona es una antigua ciudad de la Torá... Allí hay sabios, poderosos y príncipes encabezados por Calonymos, hijo del gran príncipe Todros, de santa memoria, descendiente de la casa de David, como demuestra su árbol de familia.»

Por otra parte, respecto a la situación militar del Principado de Septimania a finales del siglo octavo, se ha de tener en cuenta que como Guillermo de Toulouse, a pesar de sus éxitos diplomáticos, era vocacionalmente un guerrero comenzó a preparar sus tropas, tras su vuelta de la embajada de los francos a Bagdad, en la que había participado, para reanudar la conquista de tierras peninsulares a los árabes españoles. En el año 801, el conde Guillermo, capitaneando uno de los tres cuerpos que formaban el ejército del rey Luis de Aquitania, cooperó en la conquista de Barcelona. Con esta importantísima conquista, la Marca de España se consolidó definitivamente, aunque integrada en el Principado de Septimania.

En efecto, se ha de tener en cuenta que, desde el año 785 en que se entregó Gerona, los territorios de la Marca de España habían ido aumentando con la conquista o la sumisión de otras ciudades. Por ello, como dicen [14] Jordi Bolòs y Victor Hurtado:

> ... Gerona se convirtió en el centro neurálgico de las operaciones carolingias en tierras catalanas. El dominio del valle del Ter y el control de los accesos a la depresión del Vallés fueron decisivos para la conquista de Barcelona. Cuando Luis «el Piadoso», rey de Aquitania, decidió apoderarse de Barcelona, dividió las tropas en tres cuerpos, uno de los cuales estaba al mando de Rostany, el primer conde de Gerona.
>
> Como el año 801 la frontera se trasladó al río Llobregat, la ciudad de Gerona quedó expuesta a las ofensivas de los ejércitos del emirato árabe contra Barcelona y Septimania...

---

[14] Jordi Bolòs y Victor Hurtado, *Atles del Comtat de Girona (785-993)*, Rafael Dalmau, Editor, Barcelona, 2000, pág. 12.

En cuanto a la situación político-militar de los territorios catalanes en los años posteriores a la conquista de Barcelona la describe J. M. Salrach i Marés [15] literalmente así:

> ... Después de Rostany, el conde que sin duda gobernó Gerona fue Odiló, uno de los condes del área catalano-septimana (con Berà, Gaucelm, Guiscafred, Odiló, Ermenguer, Ademar, Laibulf y Erlí)... Durante su mandato se efectuaron expediciones francas contra Tortosa (804-806, 808 y 809) y Huesca (811 u 812), en las que se desconoce si participó el conde (de Gerona), con las que se obtuvieron sólidas conquistas territoriales.
>
> No se sabe con certeza la identidad del conde de Gerona que sucedió a Odiló, condado que parece tenía como anexo el territorio de Besalú, pero es muy posible que fuese el conde Bera de Barcelona... Al tiempo que por primera vez Gerona y Barcelona se encontraban bajo la administración de un mismo conde, parece que también Ampurias y Rosellón estaban gobernadas por un conde llamado Gaucelm, que podría ser hermanastro de Berà. No se puede decir si la promoción de los descendientes de Guillermo de Toulouse, con estos nombramientos y uniones de condados, era o no una decisión que tomasen directamente los monarcas carolingios...

En mi opinión, estas decisiones correspondían al propio Guillermo, como jefe del Principado autónomo de Septimania, que incluía los territorios catalanes reconquistados a los árabes.

La evolución del Principado judío de Septimania entre los años 791 y 844 se narra en este libro al tratar específicamente de sus dirigentes los marqueses de Septimania, que fueron Guillermo de Toulouse y su hijo Bernard de Septimania, concretamente en los apartados III.1) y IV.2), por lo que se remite a ellos al lector.

En el año 844, por las razones que se explican en el apartado IV.2), el rey Carlos «el Calvo» ordenó la ejecución del nasi Bernard de Septimania, lo que los judíos interpretaron como una ruptura de su pacto con los carolingios. Entonces, ante la pasiva actitud guerrera de los judíos, el rey promulgó un decreto para favorecer el establecimiento de los godos o españoles en el sur de Francia reemplazando a los judíos en las tareas defensivas de la frontera con la España musulmana.

---

[15] *Ob. cit.,* págs. 81 y 82.

Guillermo de Septimania, el hijo mayor del ajusticiado Bernard, reaccionó violentamente y se unió a las tropas rebeldes de Pepín II en Aquitania, que luchaban contra las fuerzas reales. Además, colaboró con los normandos que, en esa época, atacaban las ciudades francesas interiores subiendo por los ríos.

Finalmente, Guillermo se alió con el emir Abderramán, quien le ayudó a reconquistar Ampurias y Barcelona, pero en una batalla con las tropas del rey Carlos, Guillermo fue derrotado, refugiándose en Barcelona, donde el conde Alerán se puso de acuerdo con ciertos godos que lo traicionaron y lo entregaron a los partidarios del rey. En el año 850, también Guillermo de Septimania fue ejecutado.

En cuanto a la situación que registraba la Marca de España en esa época, J. M. Salrach i Marés la describe [16] en la siguiente forma:

> ... Es verosímil que Sunifred y quizá Sunyer de Ampurias muriesen el 848, víctimas de la revuelta que en 847-850 protagonizó Guillermo, el hijo de Bernard de Septimania. El rebelde, que seguramente pretendía apoderarse del gobierno de los condados que su padre había tenido en la Marca y en Septimania, pidió la ayuda del emir de Córdoba, y este, rompiendo la tregua de paz, recientemente pactada, envió un ejército dirigido por su general Abd al-Karim ibn Mugith, que saqueó el territorio de Barcelona y asedió Gerona, apoderándose de mucho botín y haciendo cautivos... Parece que en 849 Guifré, seguramente un godo, fue nombrado conde de Gerona... Después de Guifré, el condado de Gerona, y posiblemente también los de Ampurias y el Rosellón, fueron nuevamente unidos al de Barcelona y gobernados por los marqueses francos Odalric (852-857) y Unifred (857-864), quienes probablemente dirigieron asimismo el condado de Barcelona y otros de Septimania... Estos poderosos marqueses quisieron ser autónomos y fueron tentados por la sedición. Por ello, el rey carolingio Carlos «el Calvo» los depuso hacia 862 y encomendó el gobierno de Ampurias a los hermanos Delà y Sunyer II, y el de Gerona a un conde denominado Otger... Este debió morir poco después del año 869, y su condado, con el *pagus* de Besalú, fue de nuevo unido al de Barcelona, ahora bajo el gobierno de Bernard de Gotia... Hacia 878 el nuevo rey carolingio Luis II debió encomendar el gobierno de Barcelona y de

---

[16] *Ob. cit.,* págs. 84 y 85.

Gerona a Wifredo «el Velloso», que ya era conde de Urgel y de Cerdeña, y el mando sobre el Rosellón a su hermano Miró de Conflent...

Por otra parte, cuando en el año 850 fue ajusticiado Guillermo de Septimania, como su hermano pequeño Bernard era solo un niño, los judíos eligieron como nasi de los judíos en Francia a un tal Salomón, que es conocido en las *canciones de Gesta* como Bueve Cornebut. Desde luego, como dice Arthur J. Zuckerman [17] «la identificación de este Salomón es difícil porque el nombre de su padre es dudoso... En cualquier caso, está claro que Salomón fue miembro del clan Makhir, o se casó y entró en él por matrimonio, porque dos de sus descendientes llevan el nombre familiar".

Zuckerman especula con la posibilidad de que su padre se llamase Suniario o Sunyer, tal vez Suniario I de Ampurias, pero no llega a una conclusión. Tal hipótesis no parece verosímil, porque este último pertenecía a la familia de Wifredo el Velloso, conde de Barcelona, con la que Salomón estaba luchando por orden del rey de los francos. Tanto es así que el pretendido asesino de Salomón en 868 fue Mirón, hermano de Wifredo el Velloso, que sucedió a su víctima como conde en Conflent o Cerdeña.

En mi opinión, el nasi Salomón era Bernard I conde de Auvergne, que era biznieto de Makhir-Teodoric por ser hijo de Guillermo I de Auvergne y nieto del conde Adalesme de Poitiers, uno de los hijos de Makhir-Teodoric.

A Salomón le sucedió como nasi su hijo Bernard II, conde de Auvergne, esposo de Ermengarde de Chalons. Zuckerman lo confirma [18] cuando dice así: «... en un desarrollo normal de los acontecimientos el nuevo designado (nasi) sería el hijo del marqués Salomón (Makhir-Bernard), especialmente si se tuvo en cuenta que el padre había sido tan efectivo en el servicio real en tiempos de la revuelta de Humprey...».

En el año 872, un nieto de San Guillermo de Gellone, llamado Bernard de Toulouse, hijo menor de Bernard de Septimania, murió en una emboscada que le hizo Bernard de Gotia, ya que se había declarado en rebeldía contra el rey Carlos «el Calvo», el asesino de su padre.

---

[17] *Ob. cit.,* pág. 308.
[18] *Ob. cit.,* pág. 334.

En el mismo año 872, el rey Carlos estableció un triunvirato para ayudar a su hijo Luis a gobernar Aquitania. Bernard II de Auvergne fue uno de los triunviros. Los territorios y los títulos que poseía el nasi judío de Francia Bernard en Auvergne, en Autun, en Aquitania y en la Marca de España lo convertían en el *primer magnate del sur de Francia*. Quizá por ello reapareció la denominación *Reino de Septimania*. Posteriormente, en 876 y 877, Bernard, obedeciendo órdenes reales de Carlos, emprendió una vigorosa campaña al sur de los Pirineos, que terminó felizmente, en junio del 877, con la reconquista de Barcelona y la reintegración de la Marca de España al reino de los francos.

Posteriormente, el rey Luis II de Francia despojó, por infidelidad, al marqués de Gotia de sus feudos que pasaron a Bernard de Auvergne, además del condado de Berry que le cedió también el rey. Con todos esos territorios se volvió a reconstituir en toda su extensión territorial la Gran Marca francesa (que incluía la Septimania) de la época de Carlomagno que había gobernado Guillermo de Toulouse. En abril de 879 murió el rey Luis, abriéndose entonces la cuestión de la legitimidad de su sucesión, lo que originó algunas guerras civiles por todo el reino. Finalmente, la nobleza y los magnates francos llamaron al emperador Carlos «el Gordo» para que asumiera el trono de Francia, con lo que se reconstituyó el Imperio de Carlomagno, aunque por poco tiempo. Bernard fue entonces el principal guerrero de la legítima dinastía carolingia contra el usurpador Boson de Provenza.

En efecto, como dice [19] Zuckerman, «la muerte del joven rey Carloman... catapultó a Makhir-Bernard a la cumbre de su poderío y de su prestigio... En 884 los barones de los francos llamaron al emperador Carlos al trono de los francos...».

Bernard de Auvergne, como *soberano de hecho del sur de Francia*, estableció el ducado de Aquitania que dio a su hijo Guillermo, quien estaba casado con Engelberga, hija del rey Boson de Provenza y de la reina Ermengarde, por lo que era cuñado del rey Luis «el Ciego» de Provenza. La muerte del marqués Bernard tuvo lugar guerreando a favor del emperador Carlos.

---

[19] *Ob. cit.,* pág. 338.

Cuando falleció el emperador se extendió por el reino de los francos una gran anarquía que produjo su desintegración en partes más o menos soberanas, regidas por condes usurpadores. Incluso un primo de Guillermo, Rannoux (Randoul), conde de Poitou, se autoproclamó rey de Aquitania ante el vacío de poder existente.

A Bernard de Auvergne le sucedió su hijo Guillermo, que fue confirmado en todos sus dominios y feudos por el emperador, hacia el que siempre mantuvo su fidelidad, incluso cuando el robertino Eudes se hizo con el trono francés. Como parte de su herencia también recibió Gotia, que comprendía la Septimania y la Marca de España, por lo que poseía la mayor parte del sur de Francia.

Sin embargo, el Cartulario de Saint-Julien de Brioude, de 893 a 898, reconoce como soberano al rey de Aquitania, lo que resulta sorprendente habida cuenta de las dudas sobre la legitimidad de Eudes y dada la caótica situación en Francia tras la muerte del emperador Carlos. *Las consecuencias de esta sumisión respecto al mantenimiento de la condición de nasi de Francia que tenía Guillermo son confusas.* Lo que es indudable es que el marqués Guillermo acabó enfrentado con el rey Eudes, quien intentó desposeerlo de todos sus feudos.

El año 910, en Bourges, el duque Guillermo fundó una institución que, posteriormente, se convirtió en la famosa Abadía benedictina de Cluny. Cuando falleció el marqués Guillermo «el Piadoso» le sucedió su sobrino Guillermo «el Joven». Como dice Zuckerman [20], «Guillermo y su hermano menor Effroi o Acfred eran hijos de Adelinde, la hermana de Guillermo «el Piadoso», y de Effroi de Razès (conde de Carcassonne). Guillermo «el Joven» fue abad de Brioude y se tituló duque de Aquitania y marqués de Auvergne, pero perdió Gotia, el Lyonesado y el condado de Berry... Inicialmente, mantuvo su lealtad a Carlos «el Simple» frente a los reyes de Francia Roberto y Raúl... Posteriormente... se reconcilió con Raúl que le devolvió el condado de Berry... Sin embargo, Guillermo murió en plena rebelión contra el rey Raúl, cuando ostentaba el título de «príncipe de los aquitanos». Effroi, que es recordado como abad de Brioude, sucedió a su hermano, pero por poco tiempo, pues murió el 11 de octubre de 927».

---

[20] *Ob. cit.,* pág. 369.

Para esta rama davídica procedente del patriarca Makhir-Teodoric parece que la Auvergne sirvió de base a su poder, especialmente frente a Aquitania, lo mismo que fue Narbona, para otra rama de esa familia, respecto a la Marca de España. Por aquella época, al quedar sin sucesión masculina directa la rama davídica descendiente de Salomón-Bernard de Auvergne, su pariente —también davídico— el conde de Toulouse adquirió Auvergne por herencia, asumiendo entonces asimismo el título de duque de Aquitania.

En resumen, a lo largo de los siglos octavo a décimo, el Principado judío cumplió su objetivo de defender la frontera sur frente a los ataques de los árabes Omeyas de España y, además, cooperó en la invasión de la Península Ibérica y en la consolidación de la Marca de España.

Finalmente, a partir del siglo X las posesiones del *Príncipe judío de Septimania* —mientras que la anarquía y la fragmentación se apoderaban del reino de los francos— se desintegraron dividiéndose en dos grandes condados, el de Toulouse y el de Barcelona, al norte y al sur de los Pirineos, respectivamente, y en otros pequeños vizcondados que pertenecían generalmente a descendientes de los David-Toulouse, por línea femenina, como esos condados de Toulouse y de Barcelona. En realidad, el debilitamiento de la monarquía franca dio lugar al nacimiento de un nuevo sistema de poder, especialmente en la Marca de España.

En efecto, como ha subrayado J. M. Salrach i Marés [21]:

> ... al morir el carolingio Carlos «el Gordo» (888), con la elección del robertino Eudes (888-898) se rompe la legitimidad dinástica en Francia y, por tanto, se da un paso más en el alejamiento de los condados catalanes respecto a la monarquía. A pesar de ello, Eudes acaba por ser reconocido en Cataluña y otorga al menos seis preceptos a favor de personas e instituciones de Gerona y de Besalú... Pero se inicia una nueva etapa en la historia política de los condados catalanes, caracterizada por la independencia de las familias gobernantes. Efectivamente, como una consecuencia del proceso de dislocación del poder, debida a las revueltas de los marqueses de España y de Septimania, los reyes francos, desde finales del siglo IX, fueron cada vez más incapaces de intervenir en las asuntos de la Marca. En cambio, sus condes se

---

[21] *Ob. cit.,* pág. 86.

apropiaron de la potestad real, en el sentido de poder o dominio eminente sobre las personas, y se apoderaron de los recursos fiscales. Wifredo «el Velloso» va a ser el último conde nombrado por un rey carolingio. Tras él, el título condal y la potestad soberana sobre los condados se transmiten por herencia de padres a hijos entre sus descendientes y los descendientes de los otros condados catalanes, sin intervención de la monarquía.

En fin, en el este y en el sur de Francia fueron los marqueses de Borgoña, de Arlés y de Provenza, además de los condes de Toulouse, los que continuaron manteniendo, por descendencia de sangre y por dominio territorial, los títulos y las propiedades feudales de la potente familia descendiente de Makhir-Teodoric; a veces de una forma cuasisoberana o, en algunos casos, incluso con título de rey y con soberanía frente a sus parientes, los cada vez más débiles reyes carolingios.

Desde mediados del siglo X, la historia de los principados de Toulouse, Gotia y Rouergue, a lo largo de más de un siglo (950-1053), se fue haciendo cada vez más confusa. En 1053, Gotia, Rouergue, la comarca de Albi, Quercy y la comarca de Toulouse se unieron definitivamente formando un extenso condado cuasisoberano, el de Toulouse, en el que, por lo tanto, quedó integrada Septimania.

Por otra parte, hay que subrayar que, mucho antes, hacia el año 917, al haber quedado la rama judía de la dinastía de Makhir-Teodoric sin heredero directo, un miembro de otra rama colateral de esa familia, conocida como *los Kalonymidos,* fue aceptado como *nasi* cuando, en el año 917, el rey Carlos («el Simple» de Francia) invitó al rabino Moisés «el Viejo» y a su familia a emigrar desde Lucca (Italia). El nombre occitano de su hijo En-Kalonymos (o sea, Don Calonymos, en castellano) muestra que su residencia estaba en el sur de Francia. A la nueva dinastía se la denominó genéricamente *los nasis* (en hebreo *nassiim*), reconociéndose a los Kalonymidos también como *los reyes judíos* de Narbona hasta la expulsión de los judíos de Francia en 1306.

Aryeh Graboïs ha especificado los sucesivos nasis o *reyes* de Narbona que existieron desde 1064 a 1306 [22]:

_____

[22] *Ob. cit.,* pág. 52.

— Todros, hacia 1064.
— Calonymos el Grande, de fines del siglo XI a principios del XII.
— Todros, hacia 1130-1150.
— Calonymos, de antes de 1160 hasta después de 1199.
— Todros, de antes de 1216 hasta antes de 1246.
— Calonymos Bonmancip, de antes de 1246 hasta después de 1252.
— Astruc-Tauros, de antes de 1256 hasta finales del siglo XIII, y
— Momet-Tauros, de finales del siglo XIII hasta 1306.

El nombre judío Todros equivale al francés Thierry y al franco-germano Teodoric, por lo que, como se ve en la anterior relación, algunos descendientes del patriarca davídico Makhir Natronai-Teodoric (Thierry) continuaron usando el nombre del fundador de la dinastía.

Además, es conveniente recordar ahora que *la palabra nasi se traducía en aquella época por rey.* Así lo especifica Zuckerman quien afirma [23] lo siguiente:

> No hay duda de que *nasi* se traducía por *rex* y llegó a significar rey en tiempo de los carolingios, y más tarde de este periodo, aunque su poder efectivo fue decayendo con el paso del tiempo. Documentos en latín hasta el siglo catorce hacen alusión ocasionalmente al *Rey de los Judíos* en Narbona... El 5 de octubre de 1216, un residente de Narbona, Bernard de Cortone, dejó un legado de dinero y propiedades a Bonomancipio, el hijo del rey de los judíos. En 1252, el mismo Bonomancipius (Todros b. Kalonymos) portaba el título de *Rey Judío* en una lista de derechos sobre propiedades. Un decreto vizcondal de fecha 8 de marzo de 1217 excluía «el dominio del Rey Judío que ha tenido y tiene por herencia patrimonial», y lo reconocía como exento de impuestos, lo mismo que otras propiedades que tenían los judíos en la *judería* de Narbona. En esa fecha, por lo tanto, las propiedades del *Rey de los Judíos* eran plenamente libres. Hasta la expulsión de los judíos en 1306, el jefe de la judería de Narbona llevó este título.

Por último, se ha de tener en cuenta que, como ya he narrado en mi citado libro *El origen judío de las monarquías europeas,* a finales del siglo XI habían comenzado *las persecuciones a los judíos en Fran-*

---

[23] *Ob. cit.,* págs. 169 y 170.

cia. Por ello, *la historia de los condados del sur del territorio francés*, que son partes desgajadas del poderoso pero ya extinto y desintegrado Principado de Septimania, y que suelen estar gobernados por descendientes de judíos, *se fue oscureciendo, ocultando, haciéndose clandestina*, hasta que *la historia del Principado judío de Septimania* (que habían dirigido los davídicos nasis) se convirtió en una *historia oculta*.

Se acabaron así los últimos recuerdos y vestigios del medieval Principado judío de Septimania y de sus dirigentes, pues *los cronistas reales de la época*, generalmente clérigos, *se dedicaron a ocultar, a disimular y a silenciar la existencia de ese Principado*, que les incomodaba, porque *en él se encuentra la explicación de por qué la realeza europea tiene sangre davídica*, la auténtica Sangre Real. Entonces, *esta historia se ocultó* y, posteriormente, desde finales del siglo XI, con el fervor militante del cristiano que le llevó en la Edad Media a las cruzadas y a la persecución de los judíos, *la historia oculta del Principado judío de Septimania se convirtió en un mito* y, más todavía, en *un tema tabú*.

Finalmente, en el territorio que ocupó Septimania —y en otras partes del sur de Francia— se desarrolló *la herejía de los cátaros*, quienes fueron protegidos por sus señores feudales, entre los que destacan los Trencavel y los condes de Toulouse y de Foix, que eran precisamente descendientes de los davídicos primeros *reyes* de Septimania, un país en el que sus habitantes practicaban la tolerancia y la concordia entre ellos, tal vez porque fue siempre una encrucijada y un lugar de encuentro entre Oriente y Occidente.

IV

LA HISTORIA OCULTA
DEL LINAJE DEL SANTO GRIAL

El Linaje del Santo Grial: Una familia que, como el legendario sabio Flegetanis, se mantuvo judía hasta que el bautismo fue su escudo contra el fuego infernal (de la Santa Inquisición).

IV.1

El davídico Bernard de Septimania, nasi de los judíos de Francia

A GUILLERMO de Toulouse le sucedió como jefe de la rama judía de la familia davídico-carolingia su hijo *Bernard de Septimania, quien también fue nasi o príncipe de los judíos de Francia.* Como *marqués de España y de Septimania* fue muy poderoso, sobre todo cuando llegó a ser chambelán del Palacio imperial, pues entonces gobernó de hecho el reino de los francos.

Bernard tenía sangre carolingia ya que su abuela era Auda Martel, la hermana del rey Pepín «el Breve», pero también pertenecía a la Casa de David, pues *era el jefe de la rama judía de la familia davídico-carolingia*

En efecto, Arthur J. Zuckerman afirma [1] que «... como había asegurado el judío Eleazar, la tribu de Judá era una realidad viva, aunque dispersa. Incluso existía una indudable Casa Real de David en Francia, que era la dinastía descendiente de Makhir, cuyo jefe era (su nieto) Bernard de Septimania, quien tenía autoridad sobre los judíos e incluso sobre los cristianos... como había sido reconocido por el emperador carolingio en diversos edictos y documentos».

La pertenencia de Bernard de Septimania al linaje carolingio se reforzó al nombrarlo hijo adoptivo el emperador Luis, pues Bernard se había casado con la ilustre Duoda en el Palacio imperial. Su primera esposa era hermanastra de Luis «el Piadoso», ya que, al parecer, Duoda era hija de Carlomagno y de su esposa Madelgard.

El año 826 tuvo lugar la primera hazaña guerrera importante de Bernard de Septimania, duque de Toulouse, pues defendió y salvó a Barcelona del asedio del emir de Córdoba Abderramán, a pesar de

---

[1] *Ob. cit.,* pág. 282.

contar solamente con sus tropas, pues los condes Hugo de Tours y Matfrid de Orleans rehusaron prestarle ayuda, como se lo había mandado el emperador Luis «el Piadoso».

En esa época Bernard poseía ya diversos títulos y dominios feudales en Francia y en Cataluña. Zuckerman ha especificado algunos de ellos cuando dice [2] que «... hacia el año 827 la *Vita Hludowici* y los *Annales* de Einhard designan a Bernard como conde de Barcelona (sucesor de Rampo y de Bera)... Dhondt cree que Bernard era también conde de Gerona-Besalú, Maguelonne, probablemente Ampurias y Uzès, donde residía su esposa (Duoda), y conde de Autun como heredero de su tío Teodoric-Thierry. A esta relación Calmette añade Razès».

Desde luego, Bernard de Septimania llegó a ser el principal magnate de la Cataluña hispana, lo que confirman Jordi Bolòs y Víctor Hurtado diciendo [3] que:

> ... Aissó, hijo del desposeído conde Bera, se rebeló (825-826) en un intento de apoderarse de Barcelona y posiblemente también de Gerona, pero Bernard de Septimania le cerró el paso y lo arrinconó en las tierras de Ausona. Tanto Bernard como Berenguer I de Toulouse, quien le sucedió el año 832, gobernaron territorios muy extensos, pero conservaron siempre su dominio sobre ambos condados catalanes.
>
> El año 835 Bernard de Septimania recuperó los condados de Barcelona y de Gerona, y los mantuvo unidos hasta que fue ejecutado en 844. Después del breve mandato de Sunifred I, Guillermo de Septimania, el hijo del ajusticiado Bernard, se apoderó de Barcelona y, en abierta rebelión, intentó recuperar los extensos dominios que poseía su padre. Es muy probable que sus proyectos le hicieran enfrentarse al vizconde de Gerona Guifré, quien accedió a la dignidad condal en 848. Una vez derrotada la rebelión y ejecutado Guillermo en 850, Guifré I continuó como conde privativo de Gerona, gobernando en solitario el condado o compartiendo el poder con Aleran I, conde de Barcelona, hasta el año 852.

Por otra parte, si tenemos en cuenta que Bernard de Septimania era el jefe del linaje del Grial se comprenderá mejor por qué, como se ha

---

[2] *Ob. cit.,* pág. 265.
[3] *Ob. cit.,* pág. 13.

dicho al principio de este Apartado, el emperador Luis «el Piadoso» lo nombró chambelán y primer consejero suyo. Entonces Bernard, que se concertó políticamente con la reina Judith, se convirtió en el segundo personaje del Imperio, lo que produjo gran descontento en los antiguos fieles de Carlomagno y en los magnates del Reino.

Bernard de Septimania, al tomar posesión de su cargo e instalarse en el Palacio imperial, como jefe del gobierno, nombró a nobles de su confianza, depurando a los que estaban anteriormente, quienes le hicieron una campaña de desprestigio y calumnias, acusándolo, incluso, de adulterio con la reina Judit.

En todo caso, Bernard de Septimania llegó a ser un magnate poderoso y terrible que gobernaba el Imperio en nombre de Luis. Efectivamente, según Zuckerman [4]:

> ... las tareas del chambelán eran variadas y muy significativas. Se encargaba del tesoro, la *cámara,* de la que salían las aportaciones anuales a los gastos de la Corona. Allí, bajo la supervisión de la reina, se guardaban las joyas y los ornamentos reales. El *camerarius* se encargaba de todas las posesiones imperiales y administraba los dominios y las villas reales. Era el oficio más importante de la Corte. Simson ve en la designación de Bernard un retorno a la figura de *mayordomo* que desempeñaba el jefe de la familia de los pipínidos en la época de los merovingios... Después del emperador, Bernard de Septimania era el segundo personaje del Imperio.

Finalmente, en el 830 se produjo una revuelta de los tres hijos de Luis «el Piadoso» contra el emperador y Judit. Luis no se opuso a sus hijos y, dejando hacer, quedó semicautivo, pues así lo decidió Lotario, que empezó a gobernar asociado a sus hermanos. Judit y su hijo Carlos «el Calvo» fueron recluidos en un convento y en un monasterio, respectivamente. Bernard de Septimania huyó y se refugió en Barcelona, pero a su hermano Heribert de Toulouse le sacaron los ojos y lo desterraron a Italia.

Entonces, aunque el emperador Luis recobró aparentemente su poder, estaba siempre rodeado de cortesanos que tenían la confianza de sus hijos y que le sometían a una discreta vigilancia. Por ello, Bernard

---

[4] *Ob. cit.,* pág. 267.

de Septimania solo detentaba un poder limitado a sus feudos en el sur de Francia.

Posteriormente, las luchas fratricidas entre los hijos de Luis «el Piadoso» y las de estos con su padre se intensificaron, por lo que el poder imperial se fue degradando continuamente en medio de una guerra civil no declarada en la que los partidarios de unos y otros se enfrentaban unas veces y se entendían entre ellos en otras ocasiones, cambiando incluso de bando para salvar su vida.

La conflictiva y caótica situación que existía en el Imperio carolingio ha sido descrita por Georges Bordonove [5], quien dice que Luis «el Germánico» y Pepín de Aquitania querían destituir a su padre para tonsurarlo y encerrarlo en un monasterio. Pero su hermano Lotario se oponía a ello. Le parecía mejor mantener una apariencia de poder imperial bicéfalo manteniendo a su padre semicautivo, pero gobernando efectivamente Lotario. Su primer acto fue la anulación del reparto de Worms. En la asamblea celebrada en Aix-la-Chapelle en 831 se llevó a cabo un nuevo reparto. Lotario perdió la supremacía imperial, pero conservó Italia, y el resto del Imperio se dividió en tres partes iguales y autónomas para Luis, Pepín y Carlos. La emperatriz Judit fue liberada del convento en que se hallaba y devuelta a su esposo, junto a su hijo el pequeño Carlos, una vez que fue absuelta de las acusaciones de adulterio y de brujería mediante un juramento purgatorio.

Por otra parte, en lo que afecta directamente a los feudos y honores pertenecientes a Bernard de Septimania, dice A. Zuckerman [6] que:

> ... se decidió excluir a Septimania del reino de Pepín y encargar a Judit de la dirección de sus asuntos, por lo que Bernard solo dependía del Imperio. Hacia finales de 831 Bernard fue repuesto, por lo que pudo volver de su refugio en la Marca de España, y la Dieta de Thionville le exculpó de cualquier cargo contra él. Pero Luis y Judit parece que dudaron y no confirieron sus anteriores poderes a tan controvertido personaje. El monje Gundowald reemplazó a Bernard como chambelán.
>
> Otros sucesos posteriores llevaron a Bernard a enfrentarse a su emperador. Pepín de Aquitania se reveló contra su padre en 831-832, pero fue obligado a someterse... Entonces Bernard fue acusado de infidelidad y privado de todos sus honores, presumiblemente porque ac-

---

[5] *Ob. cit.*, págs. 276 a 278.
[6] *Ob. cit.*, págs. 271 a 273.

tuó de acuerdo con Pepín. También se le quitó el condado de Barcelona. El conde Berenguer de Toulouse lo reemplazó en el marquesado de Septimania. Gaucelm, el hermano de Bernard, fue también desposeído de los condados de Rosellón, Ampurias...

Más tarde, a la vista de la evolución negativa de los asuntos, Bernard se reconcilió con su emperador, con el que volvió a tener relaciones amistosas, por lo que recobró *el marquesado de Septimania.* Además, cuando murió Berenguer, también recuperó el condado de Toulouse, lo que le permitió restaurar la gran Marca que su padre Guillermo había poseído. Ahora Bernard de Septimania era también marqués de Gotia y conde de Barcelona, de Gerona y de Razès, aunque sus dominios eran mucho más extensos, por lo que continuó denominándose duque de Septimania.

Por su parte, en la Corte Judit volvió a conspirar con la intención de repartir el Imperio entre Lotario y su hijo, relegando a los otros hermanos. Lotario encabezó así una nueva rebelión contra su padre, quien, no queriendo exponer la vida de sus últimos fieles, se sometió a Lotario y no se opuso a que este reuniese una asamblea en Soissons que lo destituyó como emperador.

Sin embargo, Lotario no acababa de dominar la situación, pues, a pesar de haber propuesto un nuevo reparto del Imperio a sus hermanos, estos no se conformaban con estar subordinados a Lotario y acabaron conspirando contra él. Luis y Pepín unieron sus fuerzas contra Lotario, que tuvo que liberar a su padre y huir a Italia. El emperador Luis se hizo coronar de nuevo.

Entonces, Judit pudo alcanzar su revancha, pues, una vez que Lotario había sido desterrado, ella no temía enfrentarse a Pepín ni a Luis «el Germánico». Además, como Judit había recobrado su ascendencia sobre su marido, su única pretensión era la de conseguir para su hijo Carlos un reino soberano con el mayor territorio posible. En efecto, en la asamblea de Aix-la-Chapelle en 837, el emperador concedió a su hijo Carlos la Frisia todo el territorio comprendido entre el Sena y el Mosa, además de una parte de Borgoña.

En cuanto a la situación en el sur de Francia, la autoridad real en Aquitania declinaba por la enfermedad progresiva de Pepín, que lo llevó a la locura y finalmente a la muerte. En cambio, el poder de Bernard de Septimania iba aumentando más cada vez, hasta tal punto que Simson ha afirmado que su poder llegó a ser ilimitado por el hecho de que estaba sujeto únicamente a la potestad imperial, ya que *la Marca de España y Septimania no dependían del rey Pepín de Aquitania.*

Pepín I de Aquitania murió en 838. Entonces, contra los derechos de sus herederos, Luis «el Piadoso» dio también la Aquitania a su hijo Carlos y lo hizo coronar rey en Quierzy-sur-Oise.

Por fin, cuando falleció el emperador el año 840, se acabó el triste reinado de este lamentable soberano que, en menos de tres decenios, y a pesar de sus prometedores comienzos, había conseguido arruinar la obra de Carlomagno.

Entonces, Bernard de Septimania se alió con Pepín II, el efectivo rey de Aquitania, a pesar de que *Carlos «el Calvo», el hijo de Luis y de Judit, había recibido Aquitania y Septimania*, en la partición efectuada en Worms, por lo que *tanto los aquitanos como el duque Bernard se opusieron a ese reparto.* Por ello, Carlos convocó a Bernard para que hiciera la sumisión, pero este no la llevó a cabo teniendo en cuenta su juramento a Pepín, que seguía vigente. Por su parte, Lotario reclamaba soberanía sobre todo el Imperio.

Desde luego, Bernard intentó convencer al joven Pepín II de que se sometiese al nuevo rey Carlos, pero no lo consiguió. En fin, *Carlos desposeyó a Bernard del condado de Toulouse* cuya autoridad transfirió a Effroi (Acfred), quien cayó en una emboscada y perdió Toulouse, que fue recuperada por Bernard de Septimania.

Sin embargo, *la postura rebelde de Bernard se hacía cada vez más insostenible.* Entonces, el rey Carlos «el Calvo» decidió atacar Toulouse y someter a Bernard de Septimania por la fuerza. En el sitio de la ciudad fue apresado Bernard, posiblemente cuando acudió al campamento del rey para negociar o para efectuar la sumisión. En mayo del año 844, *el rey Carlos de Francia ordenó su ejecución, que se llevó a cabo inmediatamente.* En la época en que murió Bernard *a Septimania se la consideraba reino denominándola así.* Según dice Zuckerman [7], «el 19 de mayo el conde Sunifred de Urgel sucedió a Bernard como marqués de Septimania y de España, tarea en la que le ayudaba el conde Suniario».

---

[7] *Ob. cit.,* pág. 287.

Por su parte, el historiador José Amador de los Ríos relató [8] la trágica muerte de Bernard de Septimania como sigue:

> La muerte del conde Bernardo fue un acto alevoso que mancha la memoria de Carlos el Calvo. Convocado por este un consejo de sus magnates en Tolosa, fue llamado a él Bernardo, como uno de los señores feudales. Considerado por Carlos como reo de lesa majestad *(majestatis reus)* en el momento mismo en que, reconociendo el vasallaje, se arrodillaba a besarle la mano, le asestó una puñalada en el costado izquierdo, vengando o castigando así antiguas injurias y más recientes faltas *(Annales Bertiniani,* anno 844; *Annales Fuldenses,* íd.; Romey, *Hist. de España,* t. II, cap. XII; Balaguer, *Hist. de Cataluña,* lib. II, cap. X).*

La captura y muerte del nasi de Francia dejó estupefacta a la comunidad judía que vio en esa ejecución una ruptura de su pacto con los carolingios para la defensa y expansión de la frontera sur frente a los árabes del Califato de Córdoba, por lo que debía revisarse la tradicional política de entendimiento entre los judíos y los francos, que había permitido la pacífica existencia del Principado judío en Septimania.

En efecto, las graves consecuencias del ajusticiamiento de Bernard han sido subrayadas por Arthur J. Zuckerman [9] quien concluye afirmando que:

> ... la ejecución de Bernard, que era el nasi judío de Francia, conllevab... una revisión de la política carolingia, hasta entonces firmemente proseguida, con respecto al papel asignado a los judíos: defensores de la frontera con España y de la costa mediterránea. Presumiblemente, *los judíos concluyeron que la consecuencia de esa ejecución (magnicidio) era que el rey Carlos había roto el pacto (alianza) de sus padres con ellos.*

Por supuesto, tras la ejecución de Bernard de Septimania sus familiares más próximos reaccionaron vigorosamente, pues su hijo ma-

---

[8] José Amador de los Ríos, *Historia de los judíos de España y Portugal,* tomo I, Ediciones Turner, 1984, pág. 240, nota de pie de página n.º 1.
[9] *Ob. cit.,* pág. 309.

yor Guillermo, que solo tenía dieciocho años a la muerte de su padre, se unió a las tropas de Pepín II en Aquitania, que causaron pérdidas y daños graves al ejército real, que por esa época se veía acosado por varios lugares, tanto por los normandos, que penetraban con sus barcos por los ríos llegando a las ciudades interiores, como por los árabes en España, capitaneados por Muza, que hacían estragos al sur de los Pirineos y en toda la Marca de España.

A su vez, *los obispos y los clérigos intensificaron y mejoraron sus relaciones con el rey Carlos «el Calvo» después de la ejecución del nasi judío de Francia*, Bernard de Septimania. Efectivamente, como ha escrito Zuckerman [10]:

> ... las autoridades eclesiásticas elaboraron numerosas propuestas de legislación antijudía en el concilio de Meaux que fue promulgada finalmente en París al año siguiente, el 846... El sínodo celebrado anteriormente en Ver fue la ocasión del encumbramiento de Hincmar (quien llegó a ser obispo de Reims) como líder de la oposición a los judíos de Francia.
>
> El panfleto de Amolo denominado *Contra los judíos,* fechado en 846, está relacionado obviamente con las propuestas eclesiásticas acordadas en Meaux-París...
>
> En definitiva, la ejecución de Bernard (de Septimania) y la desposesión de sus dominios y honores, estimularon a las fuerzas antijudías que rodeaban al rey Carlos para frenar y destruir en lo posible la influencia de los judíos en el Imperio carolingio.

Entoces, puede llegarse a *la conclusión* de que en el seno de la familia davídico-carolingia descendiente de Makhir-Teodoric y de Carlomagno, *había terminado la lucha fratricida con la victoria de los davídico-carolingios de la rama imperial sobre los davíco-carolingios de la rama judía ortodoxa*; o sea, *de la rama cristiana gobernante en Francia sobre la rama judía,*

Pero, como se ha dicho anteriormente, *Bernard de Septimania también se había casado, en segundas nupcias, con una mujer judía, N. d'Albi, hija de Ermengaud el conde de Albi* (algunos genealogistas creen que era hermana en lugar de hija de Ermengaud), con la que

---

[10] *Ob. cit.,* págs. 295 a 297.

tuvo un varón, Aton d'Albi. A su vez, Ermengaud era hijo de Aymo, conde de Albi y, por lo tanto, nieto de Makhir-Teodoric.

Aton d'Albi tan solo era un bebé de unos meses cuando su padre Bernard de Septimania fue ejecutado. Sin embargo, *para los judíos*, tras *la ruptura de la alianza de sangre* con los carolingios, *este vástago de Bernard fue el legítimo jefe y sucesor de la Casa de David. Por ello, en Aton d'Albi continuó el linaje de la Sangre Real.*

Efectivamente, como se verá en el próximo apartado, el hijo primogénito de Aton d'Albi fue *Bernard I Trencavel vizconde de Albi, fundador de la dinastía de los Trencavel, perteneciente al linaje del Santo Grial. Sus descendientes,* al registrarse en Francia las primeras persecuciones a los judíos, *comenzaron a ocultar su ascendencia davídica, lo que* con el paso del tiempo *acabó siendo un secreto,* y más aún*: un tema tabú celosamente guardado,* que solo conocían sus más próximos parientes y, posteriormente, también algunos cátaros *iniciados.*

Por lo tanto, es comprensible que la Iglesia católica haya tenido durante mucho tiempo una actitud de rechazo de la tradición del Grial, pues, como ha resaltado L. Gardner: «... el motivo más profundo de la resistencia de la Iglesia a aceptar la tradición del Grial es la existencia de una familia del Grial portadora de la descendencia del linaje mesiánico»[11] (davídico). Desde luego, como asimismo ha puesto de relieve el mismo Gardner[12], «en las leyendas originales sobre el Grial había referencias constantes a la familia del Grial, a la dinastía del Grial y a los custodios del Grial... En cualquiera de sus representaciones (el Grial) es portador de un mismo propósito y símbolo de un linaje que se prolonga con la familia (davídica) del Grial».

En conclusión, *el linaje davídico más puro se prolongó por la rama judía de la familia davídico-carolingia,* a la que suele denominarse como *el linaje del Grial* que, en sentido estricto, va *desde Bernard de Septimania hasta el penúltimo de los Trencavel, el vizconde De Béziers y de Carcassonne —asesinado en la primera cruzada contra los cátaros—, quien fue conocido legendariamente como Parsifal o Perceval.*

---

[11] *Ob. cit.,* págs. 288 y 289.
[12] *Ob. cit.,* págs. 288 y 305.

IV.2

De Bernard de Septimania a los cátaro-judíos Trencavel

E NTRE los descendientes de Bernard de Septimania destaca su nieto Bernard I Trencavel, vizconde de Albi, que fue el fundador de *la famosa dinastía de los Trencavel,* quienes para los judíos fueron *los legítimos herederos de la jefatura de la Casa de David.* Pero en esta singular dinastía sobresale específicamente el penúltimo jefe de la casa Trencavel que, como puede observarse en el linaje gráfico que se expondrá un poco más adelante, fue *Raymond Roger II en quien,* según los legendarios *romans, se personificó el Parsifal o Perceval del linaje del Santo Grial.*

El tratamiento misterioso o esotérico que se hace del Grial en los relatos puede ser debido, al menos parcialmente, a que en la Edad Media referirse a ciertos temas era muy peligroso. Debe tenerse en cuenta que en los *romans* griálicos aparecen muchos nombres judíos y ocurren ciertos acontecimientos que solo tienen sentido si se interpretan desde un punto de vista heterodoxo. Entonces, más que nunca, existían tabúes y secretos que solo debían ser conocidos por algunos magnates e iniciados.

Un tema tabú celosamente guardado durante muchos siglos es que el linaje del Grial pertenece indudablemente a la estirpe davídica, como se puede comprobar en el siguiente linaje que, según los judíos, corresponde a los sucesivos jefes de la Casa de David. Para elaborar este linaje gráfico, se ha tomado como fuente principal los datos que ofrece el genealogista francés Arnaud Aurejac, y que se complementan, para las personas que aparecen en las últimas generaciones, con la información genealógica que, sobre la Casa de los Albi-Béziers-Carcassonne, ofrece en uno de sus libros el historiador Michel Roquebert [1].

---

[1] Michel Roquebert, *L'épopée cathare. 1216-1229: Le Lys et la Croix,* Privat, 1996, pág. 446.

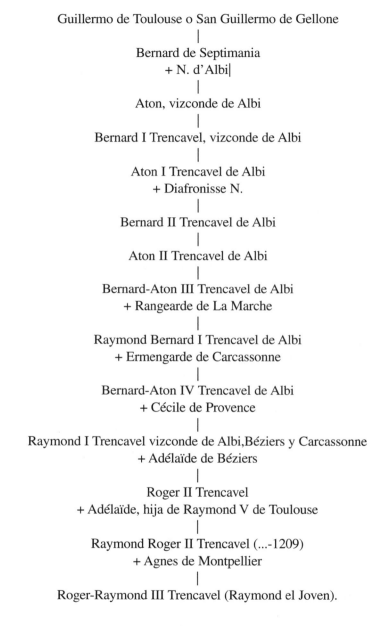

Guillermo de Toulouse o San Guillermo de Gellone
|
Bernard de Septimania
+ N. d'Albi|
|
Aton, vizconde de Albi
|
Bernard I Trencavel, vizconde de Albi
|
Aton I Trencavel de Albi
+ Diafronisse N.
|
Bernard II Trencavel de Albi
|
Aton II Trencavel de Albi
|
Bernard-Aton III Trencavel de Albi
+ Rangearde de La Marche
|
Raymond Bernard I Trencavel de Albi
+ Ermengarde de Carcassonne
|
Bernard-Aton IV Trencavel de Albi
+ Cécile de Provence
|
Raymond I Trencavel vizconde de Albi,Béziers y Carcassonne
+ Adélaïde de Béziers
|
Roger II Trencavel
+ Adélaïde, hija de Raymond V de Toulouse
|
Raymond Roger II Trencavel (...-1209)
+ Agnes de Montpellier
|
Roger-Raymond III Trencavel (Raymond el Joven).

En este linaje gráfico se puede observar también que varias esposas de los Trencavel: Rangearde de La Marche, Ermengarde de Carcassonne y Cécile de Provenza, eran también descendientes, más o

menos directamente, del primer nasi judío de Francia Makhir-Teodoric, el abuelo de Bernard de Septimania, por lo que el linaje de los
Trencavel era ancestralmente davídico, directa e indirectamente.

Como se ha dicho anteriormente, *de este linaje ha de destacarse
singularmente*, en la penúltima generación, *al cátaro-judío Raymond
Roger II Trencavel*, que es *el héroe de los legendarios romans sobre el
Santo Grial, perteneciente al linaje de la Sangre Real,* en los que *se le
denominó como Perceval o Parsifal.* Además, ha de tenerse en cuenta
que su prima, la cátara Esclarmonde de Foix, fue, según esas leyendas, la *guardiana* clásica del Santo Grial.

La fama de Raymond Roger II Trencavel puede deberse a su
muerte misteriosa a los veinticuatro años de edad, pero sobre todo *se
debe a que en ese jefe de la Casa de David convergía la Sangre Real,*
ya que *también era descendiente de los reyes capetos de Francia,*
quienes *según los cristianos* tenían la jefatura de la familia davídico-
carolingia, por lo que eran asimismo de la estirpe de David. Por tanto,
**en este Trencavel con sangre capeta se hallaba la jefatura del linaje
del Santo Grial.**

Efectivamente, Raymond Roger II Trencavel era biznieto del capeto rey de Francia Luis VI «el Gordo», como puede observarse en el
linaje que se especifica a continuación:

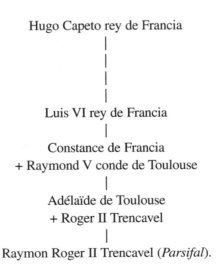

Hugo Capeto rey de Francia
|
|
|
|
Luis VI rey de Francia
|
Constance de Francia
+ Raymond V conde de Toulouse
|
Adélaïde de Toulouse
+ Roger II Trencavel
|
Raymon Roger II Trencavel (*Parsifal*).

Raymond Roger II, el más famoso de los Trencavel, murió misteriosamente en 1209, en el sitio de su villa de Carcassonne. René Nelli ha relatado [2] así las circunstancias de su muerte: «... entonces el joven vizconde... aceptó, en condiciones que no se han aclarado, ir a parlamentar con los cruzados. Parece que recibió un salvoconducto y que, con una pequeña escolta, se encaminó a la entrevista. Bajo la mirada curiosa de los franceses y de los borgoñones entró en la tienda del conde de Nevers. No volvió a salir de ella. Según el testimonio de la *Chanson de la Croisade* «... Simón de Monfort se apresuró a ponerlo en prisión como rehén en una torre de su mismo castillo, donde no tardó en morir de disentería» (10 de noviembre de 1209).

Todo el mundo en el país occitano sospechó que Montfort lo había hecho envenenar... Y el juglar Guilhem Augier, que nos ha dejado sobre su muerte una *elegía* cuyo sinceridad nos conmueve todavía... parece decir que el propio vizconde se había sacrificado por la salud de su pueblo...», como un auténtico *rey* del Grial.

Cuando falleció Raymond Roger II Trencavel solo dejó un hijo de cuatro años llamado Raymond el Joven, aunque su nombre completo era Roger Raymond III Trencavel, quien le sucedió como jefe del linaje del Santo Grial, teniendo como tutor a su pariente más próximo, su tío Raymond Roger, conde de Foix, quien parece que no era cátaro, pero los protegía activamente, tal vez porque su esposa, Philippa de Moncada, sí que lo era. A pesar de que los Trencavel eran también parientes de los poderosos condes de Toulouse y vasallos suyos, *los Trencavel eran reconocidos como los jefes de la Casa Real de David,* por lo que ellos querían liberarse de esa dependencia feudal. Con este fin, ya en 1201 habían hecho una alianza ofensiva con otros parientes más cercanos a los que se consideraban más estrechamente unidos: los condes de Foix. Esa alianza iba dirigida contra el liderazgo de los Toulouse, pues estos se ligaban cada vez más a los cristianísimos reyes capetos de Francia, incluso a través de mutuos enlaces matrimoniales.

Posteriormente, en 1219, al final de la primera cruzada contra los cátaros, que dirigía ya Amaury de Montfort, tras el fallecimiento de Simón, su padre; entonces, el Trencavel Raymond el Joven, de 14 años de edad, pudo entrar e instalarse en su reconquistada Carcas-

---

[2] *Ob. cit.,* págs. 32 y 33.

sonne, recuperando así la parte más importante de sus antiguos dominios.

Sin embargo, al terminar en 1229 la cruzada llamada *real* por la participación del propio rey de Francia en el comienzo de la contienda, el vizconde Trencavel y el conde de Foix tuvieron que someterse también y aceptar las condiciones que les fijaron la Iglesia y el rey, como ya lo había hecho el derrotado conde de Toulouse. El conde de Foix hizo su sumisión mediante un tratado acordado en Melun en septiembre de 1229 y obtuvo la devolución de la mayor parte de sus feudos. Por su parte, el joven Trencavel recibió el peor trato dispensado a los magnates occitanos que se sometieron, tal vez por su destacada condición de cátaro-judío, y no pudo recuperar más que su vizcondado de Béziers, pero no el de Carcassonne.

Unos años más tarde, ante la intensa represión de la Inquisición contra los judaizantes y los cátaros restantes, el último de los Trencavel, Roger Raymond III, se fue a Barcelona, en el territorio de la Corona de Aragón, en donde los judíos eran tratados con respeto y consideración, y allí vivió algunos años obsesionado con la recuperación de todos sus feudos, sobre todo Carcassonne, para lo cual en 1240 volvió a organizar una insurrección en la región del Languedoc.

Efectivamente, como ha relatado Jean Richard [3], en ese año Trencavel, el vizconde de Béziers, «... al que se había unido Oliver de Termes, intentó un golpe de mano sobre Carcassonne. El senescal del rey, el obispo de Toulouse, el arzobispo de Narbona, los nobles de la región se habían refugiado en la villa, que resistió a los rebeldes. Los asediados pidieron auxilio a Raymond VII de Toulouse, que no respondió. El 7 de septiembre los burgueses abrieron las puertas de la villa al hijo de su antiguo señor; (las autoridades) asediadas consiguieron refugiarse en la fortaleza, que resistió, lo que permitió al rey Luis IX convocar una asamblea en Bourges y enviar para socorrerles a su camarero Jean de Beaumont y al vizconde de Châteaudun. Trencavel levantó el sitio y se retiró a Montréal donde a su vez fue asediado. Entonces (sus parientes) los condes de Toulouse y de Foix se tuvieron que poner de acuerdo para conseguir sacar de allí a él y a sus partida-

---

[3] Jean Richard, *Saint Louis,* Fayard, 1983, págs. 104 y 105.

rios. Jean de Beaumont tuvo que dedicarse a recuperar los castillos tomados por el (Trencavel) vizconde de Béziers (quien acabó haciendo
su sumisión al rey). Oliver de Termes se sometió de nuevo en mayo de
1241. Raymond VII y el vizconde Aimery de Narbona tuvieron que ir
a renovar su juramento de fidelidad al rey... Solamente algunos caballeros "faidits" se mantenían rebeldes en su fortaleza, como Pierre de
Mirepoix, que se había refugiado en Montségur, uno de los castillos
que habían pertenecido al señorío de Mirepoix, ahora detentado por
los Lévis (Guy de)... El fracaso de la rebelión en el Languedoc en
1242 marcó el futuro del condado de Toulouse... En 1247 (el último)
Trencavel acabó por renunciar también a sus derechos sobre Béziers a
cambio de una renta anual». Se acabó así con el señorío feudal de los
Trencavel, pero *ni la Iglesia ni el rey de Francia pudieron acabar con
el linaje del Grial.*

Además, existieron unos legendarios «hijos del Grial» que fueron
puestos a salvo cuando cayó la fortaleza cátara de Montségur.

En efecto, Peter Berling en las notas históricas de una obra suya
afirma [4] que «los hijos del Grial» se llamaron Roç y Yeza; y seguidamente Berling especifica que:

> Roç, cuyo nombre completo era Roger Ramón Bertrand, nació ha-
> cia 1240-41, de padres desconocidos. Adoptó más adelante los apelli-
> dos Trencavel de Haut-Ségur, que hacen referencia a la línea extin-
> guida de Parsifal...
>
> Yeza, Isabel Constancia Ramona, nació en 1239-40 de padres des-
> conocidos. Adoptó los nombres Yezabel Esclarmunda de Mont-Sión.
> Su madre probablemente no fuera la famosa Esclarmunda de la le-
> yenda de Parsifal, sino Esclarmunda de Perelha (Pereille). Hija del
> castellano de Montségur, y su padre es posible que fuera el hijo bas-
> tardo de Federico II, Enzio, nacido en 1216, que en 1272 murió pri-
> sionero en Bolonia, aunque también es posible que el propio empera-
> dor fuera su padre...
>
> ... El sobrenombre «hijos del Grial» expresa la suposición de que
> fueran portadores de la sangre real de la casa de David.

---

[4] Peter Berling, *El cáliz negro,* Plaza & Janés Editores, Barcelona, 1999,
págs. 1026-1027.

En cualquier caso, pese a no tener el Trencavel Raymond el Joven hijos legítimos reconocidos, *el linaje del Grial no desapareció, pues iba a continuar legalmente en los parientes más próximos de los Trencavel: los condes de Foix*, como se observa en el linaje gráfico que se incluye seguidamente. Entonces, en la familia de los Foix había tanto cristianos judaizantes como cátaro-judíos.

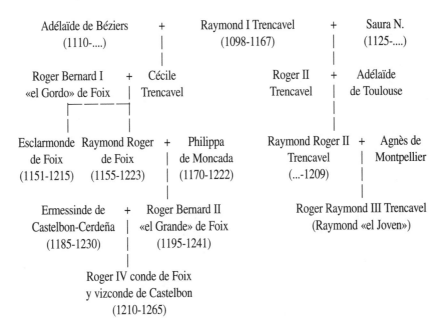

Desde luego, *existe constancia documental* de que, *al extinguirse la dinastía de los Trencavel, les heredaron y sucedieron los condes de Foix en la jefatura del linaje davídico,* porque eran sus parientes más cercanos. En efecto, Michel Roquebert, en su ya citado libro, ha relatado [5] que «Raymond Trencavel, poco tiempo después de volver a instalarse en Carcassonne —el documento está fechado en febrero de 1224—, tuvo un gesto de reconocimiento hacia la Casa de Foix que, desde 1209, se había ocupado de sus heredades, las había defendido tenazmente contra los cruzados y, finalmente, se las había arrancado a viva fuerza. Desde 1202, las dos familias, que eran además primos, habían sellado

_____

[5] *Ob. cit.,* págs. 258 y 259.

una alianza cuando Raymond-Roger Trencavel había nombrado a Raymond-Roger de Foix heredero de todas sus posesiones para el caso de que él mismo llegase a morir sin descendencia. El nacimiento de Raymond en 1205 y, después, su exilio al otro lado de los Pirineos con su madre Agnès de Montpellier en 1209, tras el asesinato de su padre, llevaron de una forma natural al conde de Foix a considerarse tutor del joven vizconde desposeído, y a defender sus intereses frente a los conquistadores. Lo hizo con una indefectible fidelidad, y bajo su bandera lucharon la mayor parte de los vasallos del vizconde de Carcassonne que eran *faidits*.

Cuando el conde de Foix murió a comienzos de 1223, su hijo Roger-Bernard tomó entonces bajo su tutela a su joven pariente y le ayudó a recuperar su patrimonio. Y en cuanto los cruzados partieron, Raymond Trencavel renovó con él el documento solemne que los padres de ambos habían firmado veintidós años antes:

> Habida cuenta del afecto, de los cuidados alimenticios y de los servicios que vos mismo y el señor conde vuestro padre habéis dispensado frecuentemente a nosotros y al conjunto de nuestros dominios, parece justo que nosotros tengamos consideraciones hacia vos y que os recompensemos, siquiera parcialmente, ya que no es posible totalmente. Es por lo que, dado que vos lo habéis tan bien merecido, por el presente documento público válido ahora y siempre para vos y los vuestros, y redactado de buena voluntad, sin fraude, engaño, astucia, obligación ni presión de nadie, sino de nuestra propia y espontánea voluntad, después de madura reflexión y consejo de nuestros vasallos celebrado en nuestro palacio de Carcassonne, damos y concedemos al señor Roger-Bernard, nuestro primo, lo siguiente: que si, por alguna contingencia natural, llegásemos a fallecer antes que vos, sin tener hijos legítimos, toda la tierra, señoríos, títulos y posesiones que nos vienen de nuestro difunto padre Raymond-Roger o de nuestros antepasados, cualesquiera que sean y dondequiera que estén, es decir, en los países de Béziers, Carcassonne, Razès y Albi, os sean entregados inmediatamente, a vos y a vuestros sucesores, para que podáis disponer de ellos perpetuamente, conforme a vuestra voluntad [6].

---

[6] Este documento está recogido en el tomo VIII, página 267 de la *Histoire générale de Languedoc,* de la que es autor Dom Vaissètte, Édition Privat (16 volúmenes), Toulouse. Publicada a partir de 1872.

Y Raymond Trencavel se prohibió desdecirse de esta donación, declarando nula por adelantado cualquier modificación ulterior que pudiera hacerle por testamento.

Treinta y cuatro testigos pusieron su sello en el documento. Su lista es interesante, pues se trata de vasallos de la corte de Trencavel. Se hallan en esa lista tanto *faidits* notorios... como gentes que se habían pasado al partido de Amaury de Montfort (el usurpador), al menos durante algún tiempo, y que habían recibido de él diversos feudos... lo que prueba que había hecho tabla rasa y que, en vez de represalias y arreglos de cuentas, había preferido la unión, en la recobrada independencia de los dominios de su (ancestral y) legítima dinastía (davídica).

En consecuencia, según este importante documento que reproduce Michel Roquebert, *la rama judía de la familia davídico-carolingia no se extinguió con el último Trencavel (el legendario Lohengrin), pues siguió por los condes de Foix*, quienes acabarían por hacerse cristianos, ya que «el bautismo fue su escudo contra el fuego infernal» de la expeditiva Santa Inquisición.

Con los condes de Foix, que acabarían uniéndose en matrimonio con los Albret y la Casa Real de Navarra, *la andadura del linaje del Santo Grial comenzaba una nueva y fecunda etapa* que, como se verá más adelante en el apartado VI.3) de esta obra, llegaría a converger en el rey de Francia y de Navarra, Enrique de Borbón y Albret, quien fue el fundador de la perdurable dinastía de los Borbones, y de quien también descienden, por su hija Henriette Marie de Borbón, los actuales Estuardo.

V

LOS GUARDIANES DEL GRIAL SECRETO DE LOS CÁTAROS: EL PRIORATO DE SIÓN Y EL TEMPLE

V.1

La resistencia de los herejes cátaros y el Santo Grial de los cátaro-judíos

———

MUCHO se ha escrito sobre los cátaros y las dos cruzadas que se llevaron a cabo contra ellos. Yo mismo he narrado detalladamente en mi libro titulado *El origen judío de las monarquías europeas* la génesis, el desarrollo y el desenlace de esas dos cruzadas contra los albigenses, por lo que al lector interesado específicamente en el tema lo remito a esa obra, concretamente a sus páginas 77 a 82.

Pero, a pesar de lo mucho que se ha escrito sobre los cátaros, permanecen en una misteriosa penumbra las relaciones del catarismo con el Grial y con los templarios.

En efecto, Justo A. Navarro ha subrayado [1] que «en el entretejido de las leyendas griálicas o sobre su trasfondo de realidad, si es que la leyenda oculta algún secreto, faltan por dilucidar las relaciones entre la Caballería del Templo, la Iglesia de los Cátaros y entre ambas y el Grial...

... Apenas setenta años separan la tragedia del exterminio de los templarios de la rendición de la última fortaleza donde resistieron los cátaros en 1243: el castillo de Montségur, identificado por algunas fuentes con el castillo de Muntsalvatge, donde, según el relato más extendido del Grial, el del poeta bávaro Wolfram von Eschenbach, los caballeros templarios custodiaban el Grial. Pero en Montségur nunca hubo templarios, sino cátaros, quienes, curiosamente, manifestaron ser custodios del Grial».

Desde luego, parece que existieron bastantes relaciones entre los cátaros y los templarios. Para descubrir estas relaciones, a lo largo de

———
[1] Justo A. Navarro, artículo titulado «Los templarios y el Grial», revista *Más Allá,* Barcelona, n.º 37 (monográfico), julio de 2001, pág. 59.

este capítulo, especialmente en este apartado y en el siguiente, intentaré esclarecer y relatar con detalle la naturaleza y el alcance de las relaciones de los cátaros con el Grial y la cooperación de los templarios y de los cátaros en la salvaguardia del Grial.

Para ello, voy a iniciar la exposición del tema refiriéndome, en primer lugar, al alcance de la palabra *cátaro,* con la que se denominaba no solamente a los llamados *puros,* que eran considerados herejes, sino también a muchos que, sin ser herejes, estaban en contra de los representantes de la Iglesia de Roma o de los invasores franceses del norte, o que solamente eran judíos, aparentemente cristianizados o no. Posteriormente relataré la buena armonía existente entonces entre los cátaros del Languedoc y los judíos allí establecidos desde siglos atrás, así como las raíces profundas de ese entendimiento, para describir después *el Grial provenzal, pirenaico* o *Santo Grial de los cátaro-judíos*, pues *el linaje del Grial se había refugiado en el sur de Francia donde encabezaba la resistencia de los cátaros*, aunque no participasen generalmente de su doctrina, especialmente cuando tenían que aceptar el *dualismo absoluto* de los albigenses. Finalmente, se narrará la forma en que los templarios y los cátaros cooperaron en la custodia y en la salvaguardia del Grial.

En primer término, ha de ponerse de relieve que, en el Languedoc de los cátaros, antes de las cruzadas, había un gran espíritu de tolerancia y de convivencia entre las diferentes comunidades, sin que se registraran conflictos de orden racial, religioso o cultural. Efectivamente, como ha dicho Philipp Bezard-Falgas en su obra *Coupable de Croisade: La croisade contre les albigeois, 1208-1243*, «es preciso subrayar que existía en aquella época un espíritu de tolerancia muy notable, que permitía a muchas comunidades que habían sido rechazadas en otros países vivir en paz e incluso prósperamente: por ejemplo, hacia finales del siglo XII fueron allí elaborados los primeros textos de la *Cábala*, estudio esotérico de las Escrituras judías, escrito por un rabino de la región de Narbona». Como se sabe, Narbona había sido la capital del Principado judío de Septimania.

Desde luego, en esas tierras la doctrina cátara encontró un campo abonado, por lo que llegó a fructificar allí mejor que en ningún otro lugar de la Europa medieval. Por ello, no basta con referirse a las creencias cátaras para entender el fenómeno del catarismo ni la intensidad de su represión mediante dos cruzadas ni la persistente resistencia de los cátaros. Hay que tener en cuenta también *la específica civilización occitana y el esoterismo que desarrolló el catarismo, que culminó en el Grial*, que se puede explicar por el hecho de que *residía allí, en el sur de Francia, la familia de la Sangre Real*, que pervivía concretamente en el Languedoc de los cátaros.

En fin, por las heterogéneas y complejas circunstancias que entonces concurrieron ha de distinguirse entre los siguientes temas:

1) Los herejes cátaros.

2) El catarismo y la civilización occitana: los señores seudocátaros.

3) La resistencia de los cátaros en las cruzadas y después de ellas.

4) El esoterismo desarrollado por el catarismo: el Grial de los cátaro-judíos.

1) Los herejes cátaros

La aparición de las creencias albigenses —o cátaras, como se decía posteriormente y en la actualidad— no tuvo lugar en el sur de Francia, sino en el este de Europa, en Bulgaria, hacia los siglos X-XI, y se extendió por diversos países europeos y, dentro de Francia, por varias regiones, principalmente en Limousin, en Champagne y en Languedoc.

Efectivamente, en Francia los primeros herejes cátaros aparecieron en Limousin entre 1012 y 1020, y se extendieron rápidamente a Albi, a toda la comarca de Toulouse, y por diversas zonas del este y del sur de Francia, donde encontraron la comprensión y la protección de ciertos nobles, algunos de ellos judaizantes, tal vez por su parentesco con el linaje del Grial, especialmente los Trencavel vizcondes de Albi, Béziers y Carcassonne, los condes de Toulouse, los condes de Foix e incluso algunos duques de Aquitania.

Como el catarismo se iba extendiendo por gran parte de Francia, los representantes de la Iglesia de Roma convocaron un concilio en Toulouse en 1119 en el que acordaron solicitar a los nobles y señores feudales que ayudasen a las autoridades eclesiásticas a luchar contra la herejía. A pesar de ello, el número de cátaros fue aumentando sin cesar, pues el pueblo aceptó gustosamente la doctrina cátara. Finalmente, la Iglesia tuvo que convocar en 1176 un concilio en Albi, una villa donde la herejía era aceptada casi por todos. Ese concilio terminó por condenar expresamente el catarismo.

Desde luego, como ha precisado Laurence Gardner [2], «la doctrina cátara era en términos religiosos esencialmente gnóstica: personas de valores espirituales elevados, consideraban que el alma era pura mientras que la materia física era corrupta por naturaleza. A pesar de que sus convicciones estaban en oposición formal con los ambiciosos propósitos de Roma, el temor que los cátaros provocaban en Roma tenía un origen mucho más amenazador. *Se los consideraba como guardianes de un gran y sagrado tesoro, relacionado con una fantástica y remota forma de conocimiento.* En esencia, la región del Languedoc era la misma que durante el siglo VIII había formado *el reino judío de Septimania, fundado por... Guillermo de Gellone*».

En principio *conviene distinguir entre albigenses y cátaros*, pues no significan lo mismo, aunque muchos autores los confunden y hablan indistintamente de unos o de otros como si fueran iguales. Para precisar lo que son, puede acudirse al *Diccionario Espasa,* que en el vocablo *Albigenses* dice que era, más que un conjunto de errores definidos, una oposición a la Iglesia católica lo que animaba a los albigenses. Heredaron del Oriente ciertas doctrinas, como el dualismo maniqueo, el docetismo en relación con la persona de Cristo y la doctrina de la metempsicosis. Al igual que los maniqueos, negaban la autoridad del Antiguo Testamento. La división de sus adeptos en *perfecti* y *credentes* es parecida a la distinción maniquea en *electi* y *auditores*. En lo demás, es difícil concretar sus doctrinas antidogmáticas.

En fin, en el vocablo *Cátaros* se lee que el punto capital de la doctrina cátara fue el dualismo, o sea la afirmación de un doble principio universal, bueno uno, creador del mundo invisible y espiritual, y autor el segundo (malo) del mundo de la materia. El dualismo fue profesado en sentido riguroso o absoluto por alguna de las fracciones del catarismo (los albigenses y los albaneses), en tanto que los otros sostuvieron el dualismo mitigado (los bogomilos y los italianos)... Los cátaros rechazaban los sacramentos: solo admitían la *consolación (consola-*

---

[2] *Ob. cit.,* págs. 327 y 328.

mentum) que representaba el bautismo, junto con la extremaunción de los católicos, y era para ellos como un bautismo espiritual. Los cátaros se tenían por los únicos poseedores del don de la consolación y hacían partícipes del *consolamentum* a los demás; por esto se daban el nombre de amigos de Dios, buenas gentes... Practicaban un ascetismo muy severo...

Por mi parte, debo aclarar ahora que los *perfectos* eran los clérigos cátaros, unos *buenos cristianos* que no podían jurar ni mentir y que habían recibido el *consolamentum* teniendo el poder de conferirlo. Entre ellos se elegía a los diáconos y a los obispos. La doctrina cátara era muy exigente con los *perfectos,* a los que se les perdonaban sus pecados muy difícilmente.

En fin, René Nelli afirma [3] que «... el catarismo se asemejaba a todas las grandes tradiciones esotéricas e iniciáticas, especialmente las del hinduismo y las del sufismo, donde se halla la idea de la responsabilidad absoluta del "iluminado", del "elegido"... Por el contrario, el simple adepto es irresponsable por su ignorancia, por lo que está encadenado a una implacable relación de causa a efecto. Esta consideración muestra... el carácter iniciático del catarismo».

Por ello, dado que el adepto era irresponsable moralmente, la captación de prosélitos entre el pueblo llano era relativamente fácil, lo que puede explicar parcialmente el éxito popular del catarismo.

Finalmente, René Nelli subraya [4] además que «... el catarismo, en tanto que civilización o, al menos, como expresión espiritual perfecta de una civilización específica, con su cultura, sus costumbres, sus leyes, etc., se ha desarrollado sobre todo en Occidente... La historia del catarismo aparece como una larga lucha a muerte entre dos civilizaciones: la del norte y la del sur de la actual Francia. En Montségur los sitiados llamaban a sus enemigos "los franceses"; lo que supone que ellos creían pertenecer a otra civilización... La caída del catarismo representa la destrucción de toda una civilización, el estrangulamiento de una cultura y de un modo de vida que verosímilmente hubiese engendrado posteriormente una nación tan diferente de la Francia del norte como de España o de Italia».

---

[3] *Ob. cit.,* pág. 83.
[4] *Ob. cit.,* págs. 9 y ss.

2) El catarismo y la civilizacción occitana: los nobles seudocátaros

La organización política occitana se estructuraba feudalmente en torno al conde soberano de Toulouse y a sus principales vasallos: los Trencavel, que eran vizcondes de Carcassonne, Béziers y Albi; el conde de Foix, el conde de Bigorre y otros magnates menores que poseían fortalezas y tierras. Estos nobles occitanos estaban emparentados entre sí, pues procedían de una sola familia davídica: la que formó el patriarca judío príncipe de Septimania Makhir-Teodoric de Autun, especialmente a través de su hijo San Guillermo de Gellone y de su nieto Bernard de Septimania; o sea, que *esos nobles eran miembros o descendían del linaje del Grial o de la Sangre Real*. Por su origen judío, comprendían bastante bien la doctrina cátara que estaba llena de influencias orientales, por lo que alguno de esos magnates llegó a hacerse cátaro, pero la mayoría de ellos no lo eran; solo fueron, por conveniencia, seudocátaros protectores de los cátaros, pues la mayor parte de sus vasallos y de su pueblo sí que lo eran.

En efecto, M. Hopkins, G. Simmans y T. Wallace-Murphy lo confirman cuando subrayan lo siguiente:

> La tolerante nobleza del Languedoc, conocida desde hacía tiempo como protectora de prósperas bolsas de judaísmo en sus territorios, extendió ese patrocinio a los cátaros...
>
> ... Cierto que el conde Raimón IV de Tolosa había reclutado y capitaneado el contingente más numeroso de los que acudieron a la convocatoria de la primera cruzada, pero hacia mediados del siglo XII la nobleza local, culta y refinada, era de sentimientos anticlericales en su mayoría. Raimón VI, fallecido en 1222, fue muy benevolente con los cátaros y no iba a ninguna parte sin que le acompañase uno de sus *perfecti*. También la familia de los condes de Foix se significó por su tolerancia para con los cátaros; la misma esposa del conde, cuando sus hijos fueron ya mayores, se hizo seguidora activa de los *perfecti*. Roger Trencavel, vizconde de Carcasona y Béziers, los tuvo por tutores y defendió heroicamente a los cátaros de sus tierras, hasta pagar con la vida por ello…
>
> ... Tiene su explicación el entusiasmo de la nobleza languedociana ante la primera cruzada y su tolerancia con los cátaros: casi toda la no-

bleza de esa región estaba compuesta de familias de la tradición Rex Deus. Y así como los judíos se vieron tolerados y se les animaba a establecerse en Troyes, la sede del condado de Champagne, así también hacía siglos que existían en el Languedoc grandes y prósperas comunidades judías, que contribuyeron con su talento comercial e intelectual a la prosperidad de la región. La influencia espiritual de los asentamientos judíos de Narbona, Carcasona y Béziers facilitó la extensión de los estudios cabalísticos en Europa. Esta tolerancia se amplió a los cátaros [5].

Por otra parte, la nobleza del Languedoc era anticlerical y se oponía a la tiranía feudal de la Iglesia, que estaba poco arraigada en esa región y que también contaba con pocas simpatías en el pueblo llano. Así lo reconoce el citado René Nelli, pues dice [6] que «los grandes señores —a pesar de la adhesión exterior que mostraban hacia la Iglesia católica— eran... anticlericales... El catarismo era para ellos un buen pretexto para liberarse de la tiranía eclesial de Roma... y, como no eran en absoluto antisemitas, no dudaban en tener judíos que los sirvieran y en confiarles puestos donde poseían mando sobre algunos cristianos, lo que la Iglesia romana les habría prohibido si hubiese podido... Ellos temían mucho el restablecimiento de la autoridad católica. Por tanto, se entendían con el catarismo por *interés*».

En consecuencia, los nobles y los señores feudales del Languedoc no solían ser católicos, aunque lo aparentasen. Pero salvo unos pocos, tampoco eran cátaros, aunque algunos lo pareciesen. Lo que sí hacían es protegerlos. En el fondo, *la nobleza occitana era seudocátara, de apariencia católicos unos*, como Oliver de Termes, *pero otros eran en realidad cátaro-judíos como los davídicos Trencavel*, vizcondes de Albi, Carcassonne y Béziers, *los condes de Foix y los propios condes de Toulouse.* Por tanto, como estos tres magnates occitanos fueron los principales líderes que se enfrentaron a los cruzados encabezando la resistencia cátara, puede afirmarse que *los nobles cátaro-judíos fueron los mejores protectores de los cátaros.*

En fin, como, a diferencia de la Iglesia romana, la Iglesia cátara había dado permiso a sus adeptos para practicar la usura, el préstamo

---

[5] Ob. cit., págs. 147 y 148.
[6] Ob. cit., pág. 11.

con interés o préstamo comercial, que se permitía también a los judíos, todo ello en el marco de un proceso liberalizador precapitalista, continúa precisando René Nelli [7] que «... es en definitiva en el campo económico donde el catarismo se ha mostrado más opuesto al estricto espíritu feudal, lo que reflejaba la evolución social que había llevado ya a disminuir en Occidente las prerrogativas señoriales opuestas a los intereses burgueses, es decir, enfrentando la villa al castillo... En conclusión, el catarismo forma parte de estos movimientos heterodoxos que, en cierto modo, y de acuerdo con un ideal, prefiguran siempre una evolución social liberadora... En Languedoc... el catarismo... había sabido atraer a su causa a casi todas las clases sociales».

Por esto último, en las luchas de los cátaros contra los cruzados, a los herejes les apoyaba toda la población, incluso los verdaderos católicos, como ocurrió en la sede de Béziers, por lo que la tarea de los cruzados se hizo muy difícil ya que necesitaban enfrentarse no solo a los cátaros como en principio creyeron, sino a la totalidad de la población. Por tanto, *la inicial guerra de religión se convirtió finalmente en una auténtica guerra de conquista,* pues si la lucha comenzó siendo religiosa, siguió adelante por motivos políticos, cada vez más generalizada y cruel.

En consecuencia, *la guerra contra el invasor francés llegó a ser total,* sin que la heterogénea población occitana, encabezada por *sus señores feudales, cátaros o seudocátaros, cristianos o judíos de raza e incluso de religión,* distinguiera entre cruzados buenos y malos, pues todos eran invasores maléficos. Y por eso llegó a intervenir a favor de los cátaros y en auxilio de su pariente el conde de Toulouse, el muy católico Pedro II, rey de Aragón, quien murió en la batalla de Muret luchando contra los cruzados.

En definitiva, la imposición de las costumbres y de las leyes francesas no fue aceptada por la totalidad de la población occitana, y no solamente por los herejes. Los cruzados fueron el instrumento de la monarquía francesa para erradicar del Languedoc el antiguo estilo de vida galo-romano que, además, en muchos sitios estaba impregnado de costumbre judaizantes, por lo que también se persiguió específicamente a los judíos, a los que se les prohibió detentar empleos públicos y tener cristianos a su servicio.

---

[7] *Ob. cit.,* págs. 21, 26 y 29.

3) La resistencia de los cátaros en las cruzadas y después de ellas

La primera cruzada, o cruzada *feudal* contra los albigenses en el sur de Francia, comenzó en 1209 después del asesinato del legado pontificio Pedro de Castelnau por un partidario del conde de Toulouse, Raymond VI. En su convocatoria, el papa Inocencio III cometió diversos errores, por lo que la cruzada terminó en un rotundo fracaso, ya que, como pone de relieve Michel Roquebert [8], «... Inocencio III había cometido un error que fue fatal a la primera cruzada, pues no había visto que la guerra santa, tal como la había definido en sus medios y en sus objetivos, era, en realidad, una pura y simple guerra de conquista, que no solamente se iba a encontrar con una extraordinaria capacidad de resistencia sino que, sobre todo, iba a suscitar sucesivamente unas complicaciones diplomáticas intrincadas entre monarcas y soberanos —Francia, el Imperio, Inglaterra, Aragón—, para los que la cruzada era, en principio, incompatible con el derecho feudal y, además, afectaba a sus intereses políticos y estratégicos...

Además, Inocencio III había cometido otro error de apreciación: no había previsto tampoco la capacidad de resistencia del mismo catarismo. No había comprendido... que era una grave equivocación aplicar a la iglesia cátara el concepto demasiado limitado de *secta*».

La segunda cruzada, al contar con nuevos fundamentos, hizo posible que el Papa se pusiera de acuerdo con *el rey de Francia Luis VIII, que se hizo cruzado* el 30 de enero de 1226, y dirigió inicialmente la cruzada, que se calificó de *real* por la participación de ese soberano. Sin embargo, a pesar de la victoriosa campaña del ejército de los cruzados, encabezado por el propio rey francés, los cátaros no pudieron ser vencidos entonces ya que Luis VIII contrajo una grave disentería falleciendo a causa de esta enfermedad en noviembre del mismo año, en Montpensier, camino de regreso a París.

Por ello, durante tres años más continuaron los combates entre los cruzados y las tropas favorables a los cátaros capitaneadas por el conde Raymond VII de Toulouse, quien acabó encontrándose en una

---

[8] Michel Roquebert, *L'épopée cathare: 1216-1229: Le Lys et la Croix*, Ed. Privat, 1996, págs. 430 y 431.

situación precaria, militarmente insostenible, por lo que no tuvo más remedio que solicitar la paz, acordándose esta en Meaux, lo que significaba su aceptación de las exigencias de la Iglesia y del rey de Francia o, mejor dicho, de la regente Blanca de Castilla. Por su parte, el conde de Foix hizo también su sumisión y obtuvo la devolución de sus feudos. En cambio, el joven Trencavel, a pesar de que también se sometió, recuperó solamente el vizcondado de Béziers. En efecto, como Michel Roquebert ha dicho [9], se dio «una contradicción que es preciso poner de relieve: ¿Por qué se habían separado los casos de Raymond de Toulouse y del Trencavel? La responsabilidad de los dos jóvenes príncipes era igual, tanto en la reconquista territorial como en la tolerancia de un catarismo que se había hecho fuerte en el país liberado, como se ha demostrado suficientemente. ¿Por qué Trencavel ha sido totalmente desposeído (de Carcassonne), y por qué no se le ha dado siquiera una parte de ese vizcondado? Para explicarlo no existía ninguna razón de orden religiosa, pues en el Lauragais dejado a Raymond VII —incluido Laurac y Fanjeaux— la herejía cátara había penetrado tanto o más, por mucho tiempo, que en el Carcassès arrebatado al Trencavel».

En fin, tras veinte años de una guerra intermitente pero cruenta, se acabó logrando una inestable paz con el juramento de acatamiento que hizo Raymond VII de Toulouse en París: era *la paz de la Iglesia y del rey*. Pero esa paz con los magnates protectores de los cátaros no conllevaba, sin embargo, el final del catarismo y de la herejía, que iban a proseguir su lucha para sobrevivir. Por ello, los obispos católicos obtuvieron del Papa hacia 1233 el reconocimiento de la Santa Inquisición, que se encargó específicamente de la lucha contra los cátaros y contra los herejes que pudiera surgir en el futuro. La Inquisición fue confiada a los frailes dominicos.

En definitiva, aunque los enfrentamientos militares se habían acabado por el momento, la represión de la herejía habría de durar todavía más de un siglo. Desde luego, los franceses del norte eliminaban sistemáticamente toda resistencia política y denunciaban cualquier brote herético. Para sobrevivir, la mejor escapatoria era el exilio. Es la única solución que después de 1229 les quedaba a los señores *faidits*. En 1234, en Moissac, 210 personas fueron quemadas vivas por orden

---

[9] *Ob. cit.*, pág. 410.

de la Inquisición. Ante esa ola de represión los obispos cátaros reunieron un sínodo en el castillo de Montségur, que se convirtió en el símbolo de la resistencia. El señor de Montségur, Raymond de Pereilha, acogió en su fortaleza a Pierre-Roger de Mirepoix, a quien los cruzados habían desposeído de sus feudos.

En cuanto al Trencavel Raymond «el Joven», ante el acoso de la Inquisición, acabó exiliándose en Barcelona, donde los judíos vivían libremente y con plenitud de derechos civiles. Finalmente, reclutó tropas en España y volvió a su querido Languedoc, donde se rebeló contra las tropas invasoras francesas, organizando una insurrección en sus antiguos dominios con muchos partidarios y anteriores vasallos suyos.

En efecto, René Nelli dice [10] que: «en 1240 estalló prematuramente, y tal vez sin que Raymond VII de Toulouse lo quisiera, la revuelta del Trencavel hijo de Raymond-Roger, quien había partido de España con algunos caballeros *faidits* y una compañía de guerreros caminantes con los que obtuvo algunos éxitos menores en su antiguo vizcondado de Carcassonne, pero fracasó ante esa villa que no consiguió tomar, por lo que después de algún tiempo, se vio forzado a someterse al rey».

Por su parte, en 1242, Pierre-Roger de Mirepoix organizó en Montségur una operación comando para ir a Avignonet, donde estaban reunidos los monjes inquisidores, y allí llevó a cabo una matanza de dominicos. Entonces la Inquisición decidió que había llegado la hora de acabar con los cátaros de Montségur. Para ello, Hugo des Arcis, senescal de Carcassonne, organizó un numeroso ejército real que se encaminó a Montségur para ponerle sitio, lo que llevó a cabo en mayo de 1243. El cerco fue largo y penoso: las quinientas personas asediadas resistieron heroicamente, si bien es cierto que contaban con el generoso socorro que les prestaba desde su vecino castillo Bernard d'Alion, quien en 1235 se había casado con una *creyente* cátara, Esclarmonde, hija del conde de Foix. Pero en febrero de 1244 la situación había llegado a ser insostenible y el señor de Montségur, Raymond de Pereilha, y el jefe de la guarnición Pierre-Roger de Mirepoix se pusieron de acuerdo para que este efectuase una salida a la desesperada que terminó en un fracaso definitivo.

Finalmente, el 1 de marzo, Montségur se rindió. Los inquisidores decidieron que todos los cátaros que no abjurasen tenían que ser que-

---

[10] *Ob. cit.*, pág. 49.

mados vivos. Los restantes habitantes del castillo fueron perdonados y liberados. En fin, se cree que de 210 a 215 herejes acabaron muriendo en la hoguera en un campo cercano. El fin del catarismo se acercaba.

Además, debe tenerse en cuenta que, como ha puesto de relieve Ricardo de la Cierva [11], «cuando se iba desvaneciendo, en medio de una terrible represión, el movimiento cátaro, surgió en el mismo solar de Septimania, con participación franco-española, otro movimiento gnóstico en el seno de la diáspora judía, la Cábala».

En realidad, el catarismo ofreció resistencia colectivamente solo hasta que en 1244 cayó el castillo de Montségur. Después, algunos cátaros irreductibles fueron capturados y quemados cuando en 1255 capituló el castillo de Quéribus.

Entonces, como concluí en mi citado libro, *la aspiración a la independencia del sur de Francia*, que tenían los príncipes y los nobles occitanos desde que se fundó el Principado judío de Septimania en el último tercio del siglo VIII, *se hizo ya totalmente imposible.*

El reino católico y capeto de Francia, con la definitiva incorporación del sur occitano, *había completado la extensión territorial característica del Exágono. Se habían derrumbado totalmente las aspiraciones a la independencia del sur francés, que siempre habían liderado los soberanos condes de Toulouse, con sus parientes cátaro-judíos: los Trencavel y los condes de Foix. El sueño de la independencia meridional francesa*, que había comenzado con el Principado judío de Septimania, en Narbona, y que se extendió después a toda la Occitania, *había terminado para siempre*. De ahora en adelante, Francia, reunificada, *brazo secular* de la Iglesia romana, sería la *hija predilecta de la Iglesia* y Luis IX, su rey santo, podía liderar la Cristiandad y soñar con otras cruzadas: tenía que reconquistar los Santos Lugares y toda la Tierra Santa.

La mayoría de los cátaros restantes huyeron de la Inquisición y se refugiaron en España, sobre todo en los territorios de la Corona de Aragón, donde fueron acogidos liberalmente. Pero, en conjunto, como ha dicho René Nelli [12], «tras la caída de Montségur y de Quéribus... el catarismo se organizó en dos vías diferentes. En las villas se transformó

---

[11] Ricardo de la Cierva, *Los signos del anticristo,* Editorial Fénix, 1999, pág. 54.
[12] *Ob. cit.,* págs. 54 a 56.

en una especie de partido político *gibelino* que integraba a notables, a burgueses, a banqueros... En apariencia buenos católicos, estos personajes influyentes y respetables tenían un fin común: desembarazarse por todos los medios de los dominicos, de la Inquisición... En los campos ya no quedaban *parfaits* que pudieran llevarles la buena palabra... El pastor Autier, en el condado de Foix, había conseguido, hacia 1300, una revitalización del catarismo, pero su duración fue efímera... Fue quemado vivo en Toulouse el 9 de abril de 1311. También lo fueron por herejes su hermano Guillaume y su hijo Jacques... (y su compañero André Prades-Tavernier en 1303 en Foix)... Y tras la muerte de Autier se ve cómo Bélibaste mezcla la doctrina tradicional, comprendida mejor o peor, con interpretaciones personales que la desacreditan o la hacen insostenible.

En algunos cátaros aislados solamente permanece el odio —muy explicable— hacia la Iglesia de Roma y hacia la Inquisición. Ellos continuaban esperando la llegada del *Gran Monarca* que los iba a librar de ambas... Las profecías que circulaban en Italia, entre los patarinos, habían llegado hasta los últimos *creyentes* que se habían refugiado en el condado de Foix... Pero ni Bélibaste, el último *perfecto,* ni los pobres exiliados que lo escuchaban en Morella (España) llegaron a ver cumplirse estas profecías, que les mantenían la esperanza de una venganza. Bélibaste fue detenido en 1321 y quemado vivo en Villerouge-Termenès (Aude)».

El catarismo occitano había dejado de existir.

4) El esoterismo desarrollado por el catarismo: el Grial secreto de los cátaros

Como se ha dicho anteriormente, el catarismo se asemejaba a todas las grandes tradiciones esotéricas e iniciáticas, especialmente las del hinduismo y las del sufismo. Tal vez por ello, el catarismo se ha idealizado y ha hecho soñar a numerosos poetas y novelistas. Además, los restos de ciertos monumentos y castillos cátaros son considerados hoy por muchos como vivos testimonios de un simbolismo esotérico. Hay numerosos libros que se refieren a estos temas.

Por ahora citaré solamente a Andrew Sinclair quien dice [13] que:

> Tanto los cátaros como los templarios estuvieron influidos por las doctrinas maniqueas, sufíes e islámicas, además de por el cristianismo primitivo y por la Cábala. Creían que la carne era corrupta y que la vida era una ascensión al espíritu semejante a la búsqueda del Grial... Y, como era de esperar, se consideró que el último castillo de los cátaros que resistió, el de Montségur, era el castillo del Grial, donde los *perfecti* tenían alimentos y vida espirituales...

Desde luego, Montségur suele considerarse el castillo del Grial. Pero ¿de qué Grial? En mi opinión, se trata del *esotérico Grial provenzal,* que era *el gran secreto de los cátaros iniciados.* En efecto, al componente religioso del catarismo se le había añadido la idea medieval del linaje del rey David como la única Sangre Real legítima, pues ambas corrientes de pensamiento defendían la existencia del Grial.

Sobre este tema, el citado Andrew Sinclair subraya [14] que:

> O. Rahn, en *Kreuzzug gegen den Graal* (Friburgo, 1933), intenta demostrar que el Grial era objeto de culto entre *los cátaros, cuyas creencias inspiraron todas las novelas que hablan del Grial.* Las relaciones de Montségur y Provenza con el Grial y con la dinastía secreta del Priorato de Sión se defienden apasionadamente en la obra de Baiget, Leigh y Lincoln, *The Holy Blood and the Holy Grial* (Londres, 1982), en la que se confunde el *Sangréal,* o Santo Grial, con la Sang Real, o Sangre Real. No existe ninguna relación real, y menos una dinastía que se remonte, a través de la casa de Anjou, al fruto de una (supuesta) unión de Jesucristo con María Magdalena.

Por su parte, también Peter Berling, en las Notas históricas de su mencionado libro [15] afirma que *el Grial era el gran secreto de los cátaros...* y que existe una teoría según la cual *el Santo Grial debe ser entendido como la Sangre Real.*

En definitiva, después de la caída de Montségur y de Quéribus, se fortaleció más aún la epopeya de Parsifal personificada en la familia del Grial.

---

[13] *Ob. cit.,* pág. 38.
[14] *Ob. cit.,* pág. 239.
[15] *Ob. cit.,* pág. 864.

Por supuesto, la Iglesia de Roma en el Languedoc conocía desde hacía mucho tiempo el origen judío davídico de algunos nobles occitanos, como los Trencavel o sus parientes los condes de Toulouse y los de Foix. Por ello quiso aprovechar la herejía de los cátaros para eliminar o debilitar a sus nobles protectores, rebeldes y judaizantes, especialmente a Raymond VI de Toulouse, ya que Raymond-Roger, el Trencavel-Parsifal, había fallecido en 1209 dejando solo un vástago varón de cuatro años.

Con esta finalidad, en 1211, por orden del Papa fue convocado un concilio en Lavaur, en el que el conde de Toulouse debía acudir para disculparse de su actitud protectora de los cátaros. Sin embargo, como dice René Nelli [16], ya entonces «la Iglesia había jurado la pérdida de la dinastía tolosana». Por ello, a pesar de que Raymond VI había participado en la guerra a favor de los cruzados, el concilio decretó una fuerte sentencia contra él y promulgó una *carta* que debían cumplir tanto el conde como sus descendientes. Esta *carta*, denominada «infame» por los tolosanos, contenía, entre otros puntos, los siguientes: *deberá cesar en su protección de los heréticos y de los judíos...* sus castillos y las murallas de sus villas serán desmantelados..., a él y a sus caballeros se les prohíbe entrar en las villas y ciudades... En fin, si todas estas condiciones se observaban exactamente, el concilio se reservaba el derecho a restituirle sus feudos, una vez que hubiese llevado a cabo todas las penitencias que le fueron impuestas.

Lógicamente, Raymond VI se vio obligado a rechazar la *carta* y sus humillantes condiciones, pues le expoliaba de todos sus bienes, por lo que abandonó el ejército cruzado en el que se había integrado solamente para conservar sus feudos, convirtiéndose en enemigo declarado de la Iglesia y de la cruzada.

En cuanto al pequeño Trencavel, que era un niño de seis años en 1211, la Iglesia aparentó ignorarlo, pero no se olvidaba de su tutor y tío Raymond-Roger, conde de Foix, el hermano de la legendaria Esclarmonde de Foix, guardiana del Grial, pues el conde de Foix, durante la minoría de edad de su sobrino, era de hecho el jefe del linaje davídico de la Sangre Real.

---

[16] *Ob. cit.,* págs. 38 y 39.

Finalmente, como ya se ha visto en el apartado anterior de este libro, cuando murió Roger Raymond III sin dejar sucesión, la jefatura de la real Casa de David pasó efectivamente a su pariente varón más próximo: el conde de Foix, Roger IV, quien fue el nuevo jefe del linaje del Grial. Pero esta traslación familiar de la jefatura de la Casa de David solo fue conocida por unos pocos.

Para concluir este apartado, debe recordarse que entonces, en el siglo XIII, la realidad se encontraba reflejada mejor en la leyenda que en la historia (oficial), y podía hallarse —eso sí, expresada esotéricamente— en *romans* como el Parzival o Parsifal de Wolfram von Eschenbach. Para comprobarlo, basta con que el lector interesado retroceda en la lectura de este libro hasta su apartado II.1) Las leyendas del Santo Grial: ¿mito o historia oculta?, en donde se hizo una personificación, con nombre y apellidos, de los equivalentes en la realidad de los protagonistas de ese *roman* aparentemente legendario pero que, de hecho, exponía, más o menos esotéricamente, y con una cierta idealización epopéyica, la historia oculta pero verídica de las hazañas de los miembros del linaje del Santo Grial o de la davídica Sangre Real.

V.2

Del medieval Priorato de Sión al contemporáneo priorato de Sión

⎯⎯⎯⎯⎯

G ODOFREDO de Bouillon, Hugo de Champagne, Raymond IV de Toulouse y Hugo de Payns, que eran descendientes de los davídico-carolingios, tuvieron un destacado protagonismo en la primera Cruzada y en sus consecuencias, en la creación de la misteriosa sociedad secreta el Priorato de Sión y en la fundación del Temple.

La finalidad declarada de la primera Cruzada fue la reconquista de los Santos Lugares. Pero *la Cruzada tenía una paralela y secreta finalidad: el restablecimiento del trono de David en Jerusalén, que ocuparía su legítimo heredero.*

En efecto, así lo han expresado M. Hopkins, G. Simmans y T. Wallace-Murphy, quienes afirman lo siguiente:

> Muchos nobles del grupo de familias Rex Deus intervinieron como protagonistas en la preparación y la ejecución de la primera Cruzada. Esta fue la llamada «Cruzada popular», convocada para liberar los Santos Lugares, entonces en manos de los musulmanes. Pese al nombre, no dejaba de ser una expedición militar de notable complejidad, organizado por un grupo de nobles que eran guerreros profesionales. Su objetivo verdadero y más importante, el restablecimiento del antiguo trono bíblico de Jerusalén, el cual debía ser ocupado por su legítimo heredero, descendiente directo de los linajes davídico y asmoneo de los reyes judíos. [1].

Por ello, *el conde Raymond IV de Toulouse, quien se consideraba el jefe del linaje davídico o de la Sangre Real* por descender directamente de San Guillermo de Gellone, el último jefe de la Casa de Da-

---

[1] *Ob. cit.,* págs. 109-110.

vid reconocido unánimemente, *reclutó a su costa y capitaneó el mayor contingente de tropas que se aportó a la primera Cruzada*. Pero sus aspiraciones a convertirse en rey de Jerusalén no fueron apoyadas por *el Priorato de Sión, que integraba a los principales Rex Deus*, y que prefirió designar a Godofredo de Bouillon, un noble guerrero más joven y manejable, perteneciente a una rama cristiana del linaje del Grial.

Después de la reconquista de Jerusalén, la actividad de esos principales Rex Deus se desarrolló sobre todo en Troyes (Champagne), influyendo decisivamente en los acontecimientos que tenían lugar en los Santos Lugares.

Así lo reconocen los citados M. Hopkins, G. Simmans y T. Wallace-Murphy, quienes dicen que:

> Establecido Godofredo de Bouillon como Protector de Jerusalén, el centro de actividad principal de los miembros de Rex Deus en Europa occidental pasó a ser la ciudad de Troyes, en el este de Francia, sede de Hugues o Hugo I, conde de Champagne, que era ahijado del rey Felipe I de Francia (su madre era Alice de Valois)... La familia de los condes de Champagne estaba unida por lazos de sangre y de matrimonio con los Saint Clair, los reyes capetos de Francia, el duque de Borgoña y los reyes normandos de Inglaterra, los Plantagenet. En 1104 el conde de Champagne se reunió en cónclave secreto con varios miembros escogidos de ciertas familias nobles muy señaladas, los Brienne, los De Joinville, los Chaumont y los Anjou, todos los cuales eran miembros de Rex Deus [2].

No se sabe si esa reunión secreta fue una más de las que regularmente tenía el Priorato de Sión. Pero ¿qué es el Priorato de Sión? Precisamente este apartado del libro se dedicará a conocer ese Priorato, comenzando por la descripción de la Orden medieval para exponer después lo que es esta Asociación en nuestros días.

Los miembros del actual Priorato afirman que *la misteriosa sociedad secreta medieval llamada Priorato de Sión resultó de la fusión de tres Órdenes: los monjes de la Abadía de Nuestra Señora del Monte Sión,* fundada en Jerusalén en 1099 por el jefe de la primera Cruzada Godofredo de Bouillon; *el grupo de los Sabios de la Luz, discípulos*

---

[2] *Ob. cit.,* págs. 110-111.

de Ormus, que tenían la «Rosa-Cruz» como emblema, *y los últimos esenios, que eran judíos de una secta próxima al cristianismo* que practicaban la comunidad de bienes y que escribieron los famosos *manuscritos* del mar Muerto.

El Priorato de Sión se creó en 1090, o sea bastante antes de 1118, año de la fundación del Temple. Sus fundadores principales fueron Godofredo de Bouillon, Hugo de Champagne y Hugo de Payns. Este último fue el primer Maestre del Temple y, como ha dicho Andrew Sinclair[3], «había estado casado con la francesa Catalina de Saint Clair».

Entre estas personas, que son todos davídico-carolingios, pues descienden de San Guillermo de Gellone y de los David-Autun-Toulouse, existen misteriosas interrelaciones familiares e institucionales. *Las relaciones de parentesco entre ellas se ponen de manifiesto en el cuadro genealógico que se incluye en el apartado V.3) de este libro, así como en los comentarios que sobre ese cuadro se realizan allí.*

Por su parte, J. J. Collins, en su obra *Sangraal, The Mystery of the Holy Grail,* afirma que Godofredo de Bouillon era miembro de la legendaria familia del Grial y que fue elegido rey de Jerusalén por ser descendiente del rey David, con un rango similar al de *un rey de reyes.* Por mi parte, he de añadir que un destacado compañero de Godofredo de Bouillon en la primera Cruzada se llamaba Saint Clair.

En principio, la finalidad básica del Priorato de Sión era la protección de la estirpe de David, ayudándoles en su acceso a los tronos de los reinos cristianos o de los paganos reconquistados, como Jerusalén, así como en el mantenimiento del poder real que tenían ya los davídicos. Estas tareas las llevaban a cabo utilizando, sobre todo, los medios de que disponía la Orden del Temple, en la que el Priorato ejerció durante cerca de setenta años una especie de *protectorado.* Hay que tener en cuenta que cuando Hugo de Payns fundó el Temple, con otros ocho compañeros, era ya también Gran Maestre del Priorato de Sión, por lo que puede decirse que el Temple nació en el seno del Priorato.

La mayoría de los fundadores del Temple pertenecían al Priorato de Sión. Efectivamente, como ha subrayado J. Guijarro:

> Por lo menos cinco, de los nueve fundadores de la Orden del Temple estuvieron vinculados a esta sociedad secreta. Al tío de San Ber-

---

[3] *Ob. cit.,* pág. 24.

nardo, André de Montbard, cabía añadir a Archambaud de Saint-Aignan, Nirvard de Montdidier, Gondemar y Rossal[4].

Los *dossiers* secretos del Priorato afirman que el rey Balduino I de Jerusalén, «que debía su trono a Sión», fue obligado a aceptar la constitución de los caballeros del Temple en marzo de 1117.

Desde luego, algún autor bien documentado, como Michel Lamy, ha subrayado[5] la existencia en el Temple... «de un círculo interno que perseguía un fin más secreto que el de las cruzadas».

Uno de los autores que mejor ha estudiado el medieval Priorato de Sión ha sido Steve Mizrach, quien en su obra *Misterios de Rennes-le-Chateau y el Priorato de Sión* dice lo siguiente:

> El Priorato de Nuestra Señora del Monte Sión, o Priorato de Sión, es una institución misteriosa tras la que se encuentran muchos de los sucesos ocurridos en Rennes-le-Chateau. Según los propios documentos del Priorato, su historia es larga y convulsa. Sus raíces remotas se hallan en cierto modo en la sociedad hermética y agnóstica que fundó un hombre llamado Ormus, que decía haber reconciliado el paganismo y el cristianismo. El origen del Priorato se sitúa en la Edad Media. En 1070, un grupo de monjes procedentes de Calabria, en Italia, dirigidos por el príncipe Ursus fundaron la Abadía de Orval en Francia, cerca de Stenay, en las Ardenas. Se cree que estos monjes fueron la base de la Orden de Sión, para la que fueron reclutados por Godofredo de Bouillon. Durante una centena de años, los caballeros templarios o de la Orden del Temple y los miembros de la Orden de Sión estuvieron unificados bajo un mismo liderazgo, pues se separaron en Gisors en 1188 mediante una simbólica *partición de un olmo*.

Teniendo en cuenta el protagonismo esotérico de Gisors, Michel Lamy ha escrito lo siguiente:

> ¿Es Gisors uno de los eslabones de la supervivencia de la Orden (del Temple), de la difusión de su mensaje? Algunos investigadores creen incluso que en este lugar se habría producido una escisión en el

---

[4] *Ob. cit.,* pág. 102.
[5] Michel Lamy, *La otra historia de los templarios,* Ediciones Martínez Roca, Barcelona, 1999, pág. 141.

Temple. Desde 1188, la parte *iniciática* habría abandonado la Orden, lo que explicaría muchas cosas. La separación se habría producido en el campo de l'Ormeteau empedrado, muy cerca de la actual estación de Gisors. Los *iniciados* del Temple, ya de baja de la Orden, habrían tomado el nombre de la Orden de Sión [6].

En fin, como ha especificado Peter Berling en las Notas históricas [7] de un conocido libro suyo, el Priorato de Sión era una misteriosa sociedad secreta que, según se cree, se dedicó a la conservación del linaje dinástico de la Casa del rey David (la Sangre Real) y que se manifestó, por primera vez, tras la reconquista de Jerusalén en 1099. La Orden de los Caballeros del Temple había sido su brazo secular y visible... En la Edad Media se oponía encarnizadamente al Papado, a los defensores del *Mensaje* y a la Real Casa capeta, a la que el Priorato le reprochaba que había usurpado la realeza de sangre de los merovingios. En tiempos de Luis IX estaba dirigido por Marie de Saint-Clair, viuda del Gran Maestre Jean de Gisors, muerto en 1220.

Algunos de los Grandes Maestres del Priorato se denominaron Juan desde el primero de ellos, tal vez porque *una pretendida finalidad de la Orden era difundir el cristianismo esotérico de San Juan Bautista al que reconocían como su profeta*, además de la continuidad de la dinastía merovingia, en la que creían que se encontraba la legitimidad, pues eran portadores de la verdadera Sangre Real.

Para documentar el nacimiento y la existencia de la Orden de Sión se ha de tener en cuenta que los textos escritos más antiguos que se han encontrado sobre el Priorato de Sión corresponden al siglo XII. En efecto, Baigent, Leigh y Lincoln afirman [8] que «el 19 de julio de 1116 el nombre de Orden de Sión apareció ya en cartas oficiales. También hemos encontrado otra carta, fechada en 1152, y con el sello del rey Luis VII de Francia, que concedió a la Orden el establecimiento de su sede principal en Europa, en Orleans. Asimismo, hemos localizado otra carta, de 1178, con el sello del papa Alejandro III, que confirma la posesión de ciertas tierras por la Orden no solo en Tierra Santa, sino en

---

[6] *Ob. cit.,* pág. 335.

[7] *Ob. cit.,* págs. 864 y 865.

[8] M. Baigent, R. Leigh y H. Lincoln, *El legado mesiánico,* Ediciones Martínez Roca, Barcelona, 1987.

Francia, en España y en diversos lugares de la Península Itálica, en Nápoles, en Calabria y en Lombardía, además de en la isla de Sicilia». Por su parte, J. Guijarro concluye lo siguiente:

> ... según los documentos, Luis VII de Francia se trajo consigo a su reino a noventa y cinco miembros de la orden (de Sión) sin abundar en detalles sobre cómo estos habrían servido al rey. En todo caso, sí dejaba claro que la Orden de Sión se estableció en Francia en 1152 y que en esa época se instalaron SETENTA Y DOS (como los artículos de la regla de los templerios) cofrades en el priorato de Saint-Samson, en Orleans, donado por el rey Luis. Siete de ellos, finalmente, se habrían incorporado a las filas del Temple [9].

En resumen, lo que es indudable es que, cuando los musulmanes tomaron Jerusalén en 1187, el Priorato se trasladó a la Abadía de Saint Samson en Orleans, en territorio francés, y a partir de 1188 el Priorato de Sión pasó a la clandestinidad, lo que le permitió sobrevivir cuando tuvo lugar la disolución oficial de sus congéneres los templarios en 1307. Anteriormente, el Priorato de Sión había destacado por su importante apoyo a los rebeldes cátaros en su lucha contra los Capetos y la Iglesia.

Según los documentos del actual Priorato de Sión los Grandes Maestres del Priorato a lo largo de tres siglos medievales fueron los siguientes:

— Jean de Gisors, de 1188 a 1220.
— Marie de Saint-Clair, de 1220 a 1266.
— Guillaume de Gisors, de 1266 a 1307.
— Edouard de Bar, de 1307 a 1336.
— Jeanne de Bar, de 1336 a 1351.
— Jean de Saint-Clair, de 1351 a 1366.
— Blanche d'Evreux, de 1366 a 1398.
— Nicolas Flamel (cuyas fechas de nacimiento y fallecimiento son 1330-1418).
— René d'Anjou, de 1418 a 1480.
— Iolande de Bar, de 1480 a 1483.

---

[9] *Ob. cit.,* pág. 103.

En esta relación de los Grandes Maestres del Priorato puede observarse que todos ellos pertenecen a las ramas cristianas de la familia del Grial o davídico-carolingia, menos Nicolas Flamel, quien fue el más famoso de los alquimistas medievales, y que desde luego no era pariente de los anteriores. Por tanto, no parece verosímil que Nicolas Flamel fuese Gran Maestre del Priorato. En mi opinión se le ha incluido indebidamente en lugar de quien fuese efectivamente Gran Maestre de 1398 a 1418. Por tanto, parece que esa lista está algo manipulada, si bien el resto de los nombres de los Grandes Maestres que se han citado ofrecen plena credibilidad, ya que se ha podido contrastar con otras fuentes que ocuparon ese cargo.

Después de 1483 los siguientes Grandes Maestres podrían haber sido algunos de los que se citan a continuación, aunque existen muchas dudas sobre la certeza de que ocuparan esa dignidad bastantes de ellos que no pertenecían a ninguna rama descendiente de la familia davídico-carolingia, aunque ciertamente fueron famosos en distintas actividades científicas o artísticas, pues, según datos y narraciones históricas fiables, se dedicaron solamente a sus actividades profesionales sin ocuparse ni preocuparse de las luchas por el poder en Europa, por lo que es poco verosímil que llegasen a detentar el puesto de líder supremo de una organización como el Priorato de Sión que ha sido clandestina durante muchos siglos y que, al parecer, aspira al dominio del continente europeo. Por lo tanto, con estas salvedades, se ofrece la lista de los Grandes Maestres desde 1483 hasta nuestra época que ha divulgado el actual Priorato. Son los siguientes:

— Sandro Filipepi, más conocido como el pintor Botticelli (que lo fue en el periodo 1483-1510).
— Leonardo da Vinci, de 1510 a 1519.
— Condestable de Borbón, de 1519 a 1527.
— Ferdinand de Gonzague, de 1527 a 1575.
— Louis de Nevers, de 1575 a 1595.
— Robert Fludd, de 1595 a 1637.
— J. Valentin Andrea, de 1637 a 1654.
— Robert Boyle, de 1654 a 1691.
— Isaac Newton, de 1691 a 1727.
— Charles Radcliffe, de 1727 a 1746.

— Charles de Lorena, de 1746 a 1780.
— Maximilian de Lorena, de 1780 a 1801.
— Charles Nodier, de 1801 a 1844.
— Victor Hugo, de 1844 a 1885.
— Claude Debussy, de 1885 a 1918, y
— Jean Cocteau, de 1918 hasta una fecha indeterminada.

Entre los Grandes Maestres relacionados en la primera de las dos listas anteriores, que es la que ofrece verosimilitud, puede observarse que se repiten ciertos apellidos: Gisors, Saint-Clair, Bar... emparentados entre sí, lo que prueba que, *durante varios siglos medievales, la dirección del Priorato de Sión resulta ser un asunto exclusivo de una gran familia: la davídico-carolingia.*

En efecto, la confirmación de esta conclusión se encuentra en que muchos Grandes Maestres del Priorato de Sión son del linaje del Grial, pues tienen Sangre Real o davídica. Efectivamente, Edouard de Bar y su hermana Jeanne son hijos del conde de Bar Henri III y de la princesa Leonor, hija del rey de Inglaterra Eduardo I; Iolande de Bar es la esposa de Adolfo, duque de Mont-Sión, e hija del conde de Bar Robert I y de la princesa María, hija del rey de Francia Juan II de Valois. Además, entre los Grandes Maestres destaca René d'Anjou, también perteneciente a la familia del Grial, al que ya nos hemos referido en apartados anteriores de esta obra, quien tuvo gran protagonismo en el desarrollo de la cultura tradicional europea.

En cuanto a la segunda lista de Grandes Maestres del Priorato de Sión no ofrece verosimilitud, al menos desde 1619, porque existe constancia documental de la desaparición del medieval Priorato de Sión, pues Baigent, Leigh y Lincoln dicen que «... en documentos fechados en 1619 consta que la Orden de Sión cayó en desgracia ante el rey Luis XIII de Francia, quien los desposeyó del derecho a tener sede en Orleans y otorgó sus propiedades a los jesuitas. Tras ello, el Priorato de Sión desapareció de la historia, al menos documentalmente bajo tal nombre, hasta que reapareció en 1956 registrado como tal en el *Journal Officiel* (Boletín Oficial del Estado) de Francia».

En definitiva, se desconoce si el Priorato de Sión desapareció de hecho en el siglo XVII o si continuó perviviendo hasta que reapareció a mediados del siglo XX.

En cambio, *sí que existe una continuidad personal entre la Orden medieval y el actual Priorato*: tanto entonces como ahora hay una vinculación permanente al Priorato de Sión de una familia perteneciente al linaje del Santo Grial: los Saint-Clair. Para comprobarlo recordaremos aquí que:

— Hugo de Payns, fundador del Priorato de Sión y del Temple, había estado casado con Catalina de Saint-Clair.
— Marie de Saint-Clair, viuda de Jean de Gisors, dirigió el Priorato desde 1220 hasta 1266.
— Jean de Saint-Clair, fue Gran Maestre de 1351 a 1366.
— Pierre Plantard de Saint-Clair ha sido Gran Maestre del actual Priorato desde 1963 hasta 1984, por lo menos.

En efecto, Andrew Sinclair, que es un descendiente de la familia medieval de los Saint-Clair, ha afirmado [10] que «... si alguna vez existió una estirpe directa en una familia que trasladara los conocimientos arcanos de los tiempos medievales a la era moderna, esa podría ser la de los Saint Clair de Rosslyn... Fueron guardianes, durante muchos siglos, del príncipe heredero de Escocia, así como adelantados en la defensa del reino ante cualquier ataque inglés... Fueron (caballeros) cruzados, y también viajaron en busca del Nuevo Mundo y del Grial, que estaba albergado simbólicamente en la exuberante capilla que habían construido con sus curiosos conocimientos... Pero se construyó una capilla para que sirviera de capilla del Grial, para que estuvieran en ella los caballeros del Grial con sus armaduras. Y los caballeros son los Saint Clair, y esa capilla es la de Rosslyn».

Por su parte, J. Guijarro sostiene lo siguiente:

... según todos los indicios, la Orden de Sión habría llegado hasta nuestros días (quién sabe si manejando los hilos del mundo) bajo el nombre de *Prieuré de Sión: Ordre de la Rose + Croix Veritas.* Pues ahí van dos datos para los amantes de las «casualidades»: primero, a la Orden Rosacruz se la ha considerado, tradicionalmente, como continuadora del conocimiento de los templarios (¡) y, segundo, el moderno grupo de orientación esotérica que ha tomado el nombre de Ro-

[10] *Ob. cit.,* págs. 95 y 215.

sacruz afirma tener al gran faraón herético Akenatón como su fundador (¡) [11].

En cuanto al contemporáneo Priorato de Sión, lo que consta indudablemente es que ha sido registrado en la Subprefectura de Saint-Julien-en Genevois (Haute Savoie) en Francia el 27 de junio de 1956 como asociación acogida a la Ley francesa de 1901, siendo inicialmente Pierre Bonhomme, quien es conocido como Stanislas Bellas, su presidente y Pierre Plantard de Saint-Clair su secretario general. Su finalidad declarada se limita al estudio y a la asistencia mutua. Su actividad aparente es la publicación de un boletín llamado *Circuit,* nombre que corresponde al subtítulo de la asociación, que es «Chevalerie d'Institution et Règle Catholique d'Union Indépendante et Traditionaliste».

La *Asociación* denominada Priorato de Sión existente hoy se ha convertido en una especie de «orden de caballería». Según una primera versión de sus Estatutos tendría 9.841 miembros, pero una posterior versión de esos Estatutos rebaja sus socios a 1.093. En realidad se trata de una sociedad secreta pero legal con un número no excesivo de miembros poderosos, que desean contribuir a la construcción de unos Estados Unidos de Europa. Según Michel Lamy, los políticos que forman parte del Priorato pueden ser calificados de monárquicos «orleanistas».

Hasta 1963, parece que el Gran Maestre *(Nautonnier)* de la Orden ha sido Jean Cocteau. Se cree que Pierre Plantard de Saint-Clair lo ha sido hasta hace pocos años, tal vez hasta su fallecimiento, aunque él afirmaba que solo lo fue hasta 1984. Se desconoce exactamente quién es ahora el Gran Maestre del Priorato, pero Nacho Ares afirma que:

> Los últimos datos apuntan a que el presidente actual es un abogado de Barcelona, lugar en donde se encuentra también la sede internacional del Priorato de Sión [12].

Los miembros de la Asociación del Priorato de Sión se dividen en dos grupos:

---

[11] *Ob. cit.,* págs. 102-103.
[12] Véase el artículo titulado «Las sectas iniciáticas de Tierra Santa». Nacho Ares, revista *Más allá,* Barcelona, n.º 37 (monográfico), julio de 2001, pág. 113.

— *La Legión,* encargada del apostolado.

— *La Falange,* guardiana de la tradición.

Los integrantes de esta Asociación están jerarquizados en nueve grados: barquero, senescales, condestables, comandantes, caballeros, escuderos, valientes, cruzados y novicios.

Por último, se ha de tener en cuenta que el Priorato de Sión ha depositado en la Biblioteca Nacional de Francia en París un expediente conteniendo una serie de *documentos secretos,* lo que nunca ha sido confirmado por los responsables de la Biblioteca. Entre ellos, parece que hay dos genealogías que se remontan a 1244 y a 1644, una carta cuasimasónica y un trozo de inscripción de la tumba de la condesa de Blancaflor. Del mayor interés son dos documentos que, según se dice, son pergaminos encontrados en los cimientos de la iglesia de Rennes-le-Château, en cuya comarca existió el antiguo reino visigodo de Rhedae.

Desde luego, sobre todas estas cuestiones persiste un gran misterio, pues hay que subrayar lo que dice Steve Mizrach en su citada obra: a ese reino visigodo de Rhedae «... se llevó una gran parte del tesoro del Templo (que los romanos habían sacado de allí en la revuelta del año 70) cuando los visigodos saquearon Roma en el siglo V. ¿Puede incluir ese tesoro el Arca de la Alianza, que se escondería en Rennes-le-Château?... ¿O pudiera haberse encontrado el Arca en los establos del Templo de Salomón, bajo la mezquita de Omar, donde los templarios realizaron numerosas excavaciones? ¿Podría ser el Arca el objeto que dos destacados cátaros lograron sacar clandestinamente y en peligrosas circunstancias del castillo de Montségur poco antes de su caída?... Desde luego, si el Arca está en posesión del Priorato de Sión, se trata como mínimo de un secreto explosivo. El Priorato ha anunciado que tiene objetos "que serán devueltos al Gobierno de Israel a su debido tiempo". ¿Será de hecho el Arca de la Alianza con una nueva apariencia el tan buscado objeto del Grial?»

Lo que sí se conoce con certeza es que, antes de la caída de la fortaleza de Montségur, el tesoro de la Iglesia cátara fue trasladado y escondido en las grutas de Lombrives (algunos afirman que se llevó a Spoulga du Sabarthès) por los cátaros Mathéus y Bonnet, según la declaración que hizo Imbert de Salles ante el tribunal de la Inquisición. En cambio, no se sabe todavía en qué consistía ese tesoro: oro y plata, documentos y libros antiguos, piedras preciosas, el Arca de la Alianza, los hijos del Grial..., por lo que se han formulado numerosas hipótesis sobre el contenido del mismo... ¡que no se han podido comprobar!

Finalmente, en cuanto a *la importancia histórica y actual del Priorato de Sión,* han de subrayarse las conclusiones de un autor bien informado: Josep Guijarro, quien afirma lo siguiente:

> La furiosa ofensiva de Gérard de Sède contra el Priorato de Sión ha quedado en nada. En sus últimos escritos incluso llega a admitir que «detrás de todo hay un misterio auténtico». ¿A qué se debe este cambio de parecer?
>
> Desde la aparición de *El enigma sagrado,* un número considerable de interesados trató de hallar pistas para la localización del controvertido grupo del que solo se sabe que en la actualidad lideraría un Gran Maestre catalán. «Algunas personas insisten en que el Priorato de Sión no es más que una invención creada por Pierre Plantard de Saint Clair por motivos de su incumbencia —escribe Lincoln—. Sin embargo, parece haber estado involucrado en maquinaciones políticas de gran potencia». En efecto. Existen pruebas de su intervención al más alto nivel para restaurar, por ejemplo, al general De Gaulle en el poder en 1958.
>
> El Priorato de Sión comprende, supuestamente, a varias de las principales familias reales y aristocráticas de Europa durante muchas generaciones. Lynn Picknett y Clive Prince, autores de *La revelación de los templarios,* citan a los Anjou, los Habsburgo, los Sinclair y los Montgomery...
>
> ... Tal vez tengan razón algunos investigadores y un gobierno invisible decide a espaldas del mundo los designios del planeta, un plan que habría nacido en los tiempos de Jesús, que habrían descubierto los templarios, que habrían heredado los rosacruces y que ahora puede aplicarse gracias al Priorato de Sión... [13].

En todo caso, lo que resulta indiscutible es el protagonismo que tuvo el medieval Priorato de Sión —concertado o no, según las circunstancias, con el Temple— en la protección y conservación del linaje del Santo Grial, de la verdadera Sangre Real, como veremos con detalle en el siguiente apartado, el V.3) de esta obra.

---

[13] *Ob. cit.,* págs. 225-226.

V.3

Los guardianes del Santo Grial: el Priorato de Sión y el Temple

LOS TEMPLARIOS o Caballeros de la Orden del Temple y los miembros del Priorato de Sión estuvieron unificados bajo un mismo liderazgo durante unos setenta años, hasta que se separaron en Gisors en 1188 mediante una simbólica *partición de un olmo*.

En cuanto a los templarios, es bien conocido que sus proezas militares, sus votos (que inspiraban confianza) y sus múltiples relaciones con los magnates de todos los países los convirtieron en banqueros y en los más seguros transportistas de objetos de valor en Europa. Aunque formaban parte de la Iglesia de Roma y estaban protegidos por el Papado, los templarios acumularon muchos conocimientos sobre ciertos temas esotéricos o, incluso, heréticos como La Virgen Negra (La Magdalena), los misterios de los shiitas (o Asesinos) y el Grial. *Los templarios influyeron* en el desarrollo de la arquitectura gótica y *en las leyendas medievales sobre el Grial* facilitando documentos e informaciones a los escritores de *romans* griálicos.

Además, debe tenerse en cuenta que, como ha subrayado perspicazmente J. Guijarro [1], «... el gran proyecto templario dependía de la consecución de su misión secreta, la de custodios de la dinastía del Grial».

Desde luego, se cree que existe una interrelación entre las actividades conocidas del Temple y otras que se hicieron ocultamente, tal vez por orden del Priorato de Sión, que ejercía un cierto liderazgo sobre los maestres y los dignatarios de la Orden. Como se ha visto en el apartado V.1) de este libro, donde se relató lo que fue y lo que es el Priorato de Sión, esta sociedad secreta fue fundada por miembros de

---

[1] *Ob. cit.,* pág. 148.

la alta nobleza pertenecientes a la estirpe davídico-carolingia, como Godofredo de Bouillon y Hugo de Champagne. El conde Hugo era cuñado del rey de Francia Luis VI y nieto de Raúl II, señor de Valois y conde de Vexin y de Crépy.

Pero ¿qué es, cuándo y para qué se fundó la Orden del Temple? A ello contesta el historiador Mateo Bruguera [2] que dice así: «El principio de la Orden religiosa y militar del Temple, cuyo fundador fue Hugo de Paganis (de Payns)... data de 1118, bajo el pontificado de Gelasio II, siendo rey de Jerusalén Balduino II, en cuyo año Hugo y sus nueve compañeros se resolvieron a poner en ejecución el piadoso proyecto que habían concebido de abrazar un estado más perfecto, viviendo en comunidad bajo un régimen especial para el mejor servicio de Dios y utilidad del prójimo. A este fin se dirigieron al patriarca Esteban, quien, aplaudiendo tan loable pensamiento, les dio ciertas instrucciones que siguieron con exactitud hasta el año 1128, en que el Concilio de Troyes aprobó la Orden del Temple y dio las reglas particulares con la cual se rigiese en adelante».

Estas fechas no coinciden exactamente con las que dan otros autores. Concretamente, Michel Lamy afirma [3] que «La Orden del Temple fue fundada el 25 de diciembre de 1119, al haber prestado juramento de obediencia Hugues de Payns y Geoffroi de Saint-Omer al patriarca de Jerusalén el mismo día en que Balduino era coronado rey... los templarios no fueron más que nueve durante nueve años...

... Evitaron incluso cuidadosamente, durante los primeros años, que su pequeña tropa aumentara. Guillermo de Tiro y Mathieu París son categóricos al respecto: rechazan cualquier compañía salvo, en 1125 ó 1126, la del conde Hugues de Champaña, hijo de Thibaut de Blois, señor cuyo condado era más vasto que el dominio real...».

En mi opinión, los templarios fundadores, o la mayor parte de ellos, tal vez procedentes del Priorato de Sión, se agruparon e iniciaron sus actividades mucho antes de la fecha en que se fundó el Temple, que no se constituyó precisamente para patrullar caminos y proteger a los peregrinos, como se suele afirmar, sino para ejercer tareas

---

[2] Mateo Bruguera, *Historia General de los Caballeros del Temple,* Ediciones Alcántara, Madrid, 1999, pág. 92.

[3] *Ob. cit.,* págs. 30 a 32.

diplomáticas y de altas relaciones entre magnates cristianos y musulmanes.

En efecto, Laurence Gardner ha subrayado [4] que:

> ... Hugues de Payens, el primer gran maestre de la orden del Temple, era primo y vasallo del conde de Champagne. El segundo en el mando era el caballero flamenco Godofredo Saint Omer. Otros destacados alistados fueron el caballero burgundio Andrés de Montbard, Fulk (o Foulques) conde de Anjou y padre de Godofredo de Plantagenet, que se les unió en 1120, y Hugues de Champagne, que lo hizo en 1124. Es evidente que todos estos nobles no eran exactamente pobres. Tampoco existen crónicas escritas que avalen la idea de que se dedicaran a patrullar caminos repletos de beduinos para proteger a los peregrinos. Y el cronista del rey, Fulk de Chartres, no los describió realizando estas funciones.

Por su parte, Michel Lamy ha concluido diciendo [5] que:

> ... puede considerarse como una certeza casi absoluta el hecho de que Hugues de Payns y Hugues de Champaña descubrieron documentos importantes en Palestina entre 1104 y 1108.
>
> Estos hallazgos estuvieron sin duda en la base de la constitución del grupo de los nueve primeros templarios y deben ser vinculados a la decisión de darles por residencia el emplazamiento del Templo de Salomón.
>
> Allí efectuaron excavaciones. No era cuestión, en esta fase, de aumentar sus efectivos, por obvias razones de secreto. Sus búsquedas debieron de llevarles a encontrar algo realmente importante, al menos a sus ojos. A partir de ese momento, la política de la Orden cambió.
>
> ¿Qué habían encontrado? ¿El Arca de la Alianza? ¿Una manera de comunicarse con potencias exteriores: dioses, elementos, genios, extraterrestres u otra cosa? ¿Un secreto concerniente a la utilización sagrada y, por así decirlo, mágica de la arquitectura? ¿La clave de un misterio ligado a la vida de Cristo o a su mensaje? ¿El Grial?...

En cualquier caso, parece muy verosímil que los templarios, entre sus hallazgos de documentos del Templo de Jerusalén, encontrasen

---

[4] *Ob. cit.*, págs. 315 y 316.
[5] *Ob. cit.*, pág. 44.

también el relato de cómo, en el siglo VIII, un anterior exilarca de los judíos en Bagdad, llamado Makhir-Natronai, príncipe y jefe de la real Casa de David, había venido a Francia a petición de los reyes carolingios para establecerse como nasi de los judíos de Occidente en un Principado judío en Septimania, en Narbona, que él iba a liderar y que sería autónomo. Entonces, *el rey de los francos Pepín «el Breve» le dio como esposa a su propia hermana Auda Martel, y* con los descendientes de ese matrimonio *se formó un linaje davídico-carolingio*

Tal vez, los templarios habían encontrado o conocido algún documento sobre esa instalación en Francia de Makhir-Teodoric en el siglo VIII y habría transmitido el contenido y el alcance de su hallazgo al Priorato de Sión y al Temple, que en el futuro se encargarían de proteger la *Sangre Real,* o sea, a los miembros del linaje davídico del Grial.

Desde luego, muchos autores han afirmado que *los templarios eran los guardianes clásicos del Grial.* Por ello, voy a recoger a continuación brevemente algunas de las citas más significativas.

Por ejemplo, Laurence Gardner afirma [6] que:

> ... la tradición del Grial nació directamente del ámbito templario. El *Perlesvaus* definía a los caballeros como *guardianes de un importante y sagrado secreto,* y el *Parsifal* de Wolfram los llamaba *guardianes de la familia del Grial...*
>
> En las leyendas originales sobre el Grial había referencias constantes a la familia del Grial, a la dinastía del Grial y a los custodios del Grial. Distanciándose de la leyenda, *los caballeros templarios de Jerusalén fueron los guardianes del Sangréal...*

En su *Titurel,* Wolfram von Eschenbach afirma lo siguiente:

> Es posible ver entre los caballeros del Temple más de un corazón desolado, ellos a quien Titurel más de una vez había salvado de duras pruebas cuando su brazo defendía caballerescamente el Grial con su ayuda.

En fin, Laurence Gardner subraya [7] que:

> No puede pasar inadvertida la mención que el *Perlesvaus* hace de los caballeros templarios. En la «isla Perenne», Perceval halla a dos

---

[6] *Ob. cit.,* págs. 305 y 316.
[7] *Ob. cit.,* pág. 295.

caballeros en una sala de cristal que saben de su parentesco real. Tras dar unas palmadas aparecen en la habitación otros treinta y tres caballeros, cada uno «vestido con ropas blancas con una gran cruz roja en el pecho». Perceval asimismo luce la cruz de los templarios en su escudo...

Otro historiador que ha puesto de manifiesto la relación entre los templarios y el Santo Grial es Ricardo de la Cierva, quien afirma[8] que:

> ... el mejor estudio sobre los orígenes de la leyenda (del Grial) se debe a Andrew Sinclair, descendiente de caballeros medievales escoceses, que en su arrebatador libro, fundado en investigaciones arqueológicas personales, *La espada y el Grial* expone, a veces de manera inquietante y con un claro intento de superar lo fantasmagórico, los puntos principales de la dimensión esotérica del Temple.
>
> Las pruebas en piedra de Sinclair, que encontró en varios lugares, relacionan sin lugar a dudas a los Templarios con la búsqueda del Santo Grial...
>
> La investigación histórica, a manos de Andrew Sinclair, ha venido a confirmar muy recientemente, en su obra citada y dotada de sugestivas ilustraciones, la recepción de la leyenda del Grial entre los Templarios...

En efecto, como fruto de sus investigaciones, el mismo Andrew Sinclair dice[9] que «también es interesante el hecho de que en la capilla de Rosslyn se encuentra el Mandylion de la cara de Cristo barbado en las manos de la Verónica mientras Cristo porta su cruz en la Pasión. Junto a él hay señales templarias y masónicas sobre la figura de Poncio Pilato, representado como un guerrero barbado que se lava las manos junto a su guardia de caballeros con armadura y que portan hachas de armas. Estas imágenes británicas confirman *la tradición según la cual los templarios eran los custodios del Grial...*».

En cuanto al *Parsifal,* de Wolfram von Eschenbach, en este *roman* se destaca la asociación de los templarios con el Grial (que también se

---

[8] Ricardo de la Cierva, *Templarios: la historia oculta,* Editorial Fénix, 1998, págs. 159 y 160.
[9] *Ob. cit.,* págs. 93 y 94.

subraya en el *Perlesvaus* anteriormente citado), pues los caballeros *Templeise* se representan como *los guardianes del templo del Grial*, situado en el monte de la Salvación (Munsalvaesche):

> El pensamiento es capaz de sustraerse a la mirada del sol; el pensamiento, aunque ninguna cerradura lo encierre, permanece escondido, impenetrable a cualquier criatura; el pensamiento son las tinieblas donde ninguna luz penetra. Pero la divinidad tiene el poder de iluminarlo todo; su resplandor irradia a través de las paredes que rodean las tinieblas... Todo esto lo logra el Grial, el poder de Dios... Pero se debe actuar como los cátaros, los «hermanos puros», al convertirse en perfectos... El Grial que vos visteis en el castillo de Muntsalvatge lo protegían los templarios, que con frecuencia se alejan cabalgando, en busca de aventuras...

En definitiva, se puede ya concluir que, como dicen Jonathan Vankin y Jonh Whalen, en su obra *Descendants of Jesus? Or Scam Artistes Extraordinaire?*, «... *la verdadera misión de los templarios y del Priorato de Sión*: salvaguardar no tanto el tesoro de las Cruzadas como *la preservación del Grial*, que según los textos medievales era el "Sangraal" o "Sang réal", *que Lincoln y otros autores traducen como Sangre Real*».

Ahora parece necesario recordar que, como se ha visto en los apartados anteriores, para muchos, sobre todo para los cátaros iniciados y para los judíos, *los Trencavel eran los herederos del linaje de la Sangre Real de David*. Pero como el último de los Trencavel, Roger Raymond III, parece que murió sin sucesión legítima (aunque al parecer tuvo algún hijo natural), entonces algunos, antes de aceptar que la jefatura de la Casa de David pasó a sus parientes más próximos, que eran los condes de Foix, han querido comprobar si existían o no verdaderamente vástagos del postrer Trencavel, legítimos o naturales. Dejando aparte las leyendas, parece que efectivamente tuvo algún hijo natural que no pudo ser reconocido fidedignamente y que, por ello, no reivindicó la sucesión en la jefatura de la Casa de David.

Peter Berling se refiere en las Notas históricas de una obra suya a un personaje fascinante que ocultaba su verdadero nombre con el apodo de John Turnbull, a quien yo me he atrevido a identificar hipotéticamente nada menos que con el legendario *Preste Juan*, hijo de

Feirefiz de Anjou, quienes, como se sabe, son personajes que aparecen en el *Parsifal* de Wolfram von Eschenbach. Sobre John Turnbull, Peter Berling dice [10] que es el seudónimo del conde Jean-Eudes de Mont-Sión, que se cree era hijo de Héloise de Gisors (nacida en 1141) y que se casó con Roderich (Rodrigue) de Mont (o Mont-Sión), sin duda contra la voluntad de su familia, que descendía en línea indirecta de los Payns (el fundador del Temple) y de los condes de Chaumont.

De esta unión no conforme a su rango nació en 1170 (ó 1180) Jean-Eudes. De 1200 a 1205 fue secretario de Guillermo de Villehardouin; de 1205 a 1209 estuvo al servicio del obispo de Asís; de 1209 a 1216 desapareció en la clandestinidad de la *Resistencia* cátara contra el cruzado Simón de Monfort; de 1216 a 1220 estuvo al servicio del obispo de Acre, Jacques de Vitry; posteriormente, al servicio del sultán El-Kamil. Tuvo numerosas relaciones con los templarios y la sociedad secreta del Priorato de Sión... Se le atribuye la autoría del *Gran Proyecto,* que es un documento secreto redactado para el Priorato de Sión que daba en forma cifrada informaciones sobre el paradero de *los hijos del Grial.*

John Turnbull tuvo un hijo natural con la cátara Alazais d'Estrombèzes (quemada viva el 3 de mayo de 1211), que se llamó Créan de Bourivan y que había nacido en 1201. La ascendencia que, según P. Berling, corresponde a John Turnbull (que en realidad era el conde Jean-Eudes de Mont-Sión y de Gisors), la corrobora indirectamente Michel Lamy cuando este autor describe las relaciones entre la Orden del Temple y el pueblo de Gisors, pues afirma [11] que en 1099 Enrique I Beauclerc, rey de Inglaterra y duque de Normandía, «... confió la custodia de Gisors a Thibaud Payen, en virtud de un acuerdo firmado con Luis VI (de Francia) el Gordo. Thibaud, conde de Gisors, fue llamado "Pagano" porque, dice una crónica, "ya grandecito, no estaba aún bautizado".

Sin embargo, si estudiamos con un poco más de atención a este personaje de vida política agitada, unas veces aliado de los ingleses, otras amigo de los franceses, se le descubre un parentesco muy interesante. Era, en efecto, el hijo del conde de Chaumont (Hugues de Gi-

---

[10] *Ob. cit.,* pág. 876.
[11] *Ob. cit.,* págs. 322 y 323.

sors) y de Adelaïde de Payen, que no era otra que la hermana de Hugues de Payen, fundador de la Orden del Temple».

Por lo tanto, *el turbulento John Turnbull* (el llamado Preste Juan en el *Parsifal* de Eschenbach) *era descendiente de un primo hermano del primer Gran Maestre del Temple,* como puede observarse en el cuadro genealógico que se ofrece más adelante, donde se muestran *las relaciones de parentesco existentes entre ciertos descendientes del davídico-carolingio Pepín de San Quintin, conde de Vermandois, hijo del rey Bernard de Italia.*

Esas relaciones de parentesco han sido señaladas también por M. Hopkins, G. Simmans y T. Wallace-Murphy, quienes afirman lo siguiente:

> ... otro caballero de Rex Deus era sir William St. Clair «el Decoroso» (o «el Apuesto») de Normandía, es decir, de la parte noroccidental de Francia, y descendiente directo de Rongvald el Poderoso, un vikingo que en el siglo IX fue Earl o Jarl de Möre en Noruega. Su hijo, llamado Hrolf o Rollo, fue el navegante y conquistador que creó el primer ducado de Normandía en virtud del tratado de St. Clare-sur-Epte, el año 912. Después de firmar el tratado, Rollo y sus seguidores más destacados se convirtieron al cristianismo sin mayor inconveniente.
>
> Rollo fue guerrero, prolífico y políticamente astuto. Aumentó sus posesiones mediante conquistas, y su influencia gracias a alianzas y casamientos con las principales familias nobles de la época. Siempre procuró estrechar lazos con las aristocracias más influyentes de su época y, sobre todo, enlazar por la vía matrimonial con dinastías de la tradición Rex Deus como eran las familias (Valois)-Chaumont, Gisors, D'Evreaux, Blois, los condes de Champagne y la casa real de Flandes, cuyos benjamines eran condes de Boulogne... [12].

Por su parte, J. Guijarro ha recordado [13] que Henry Lincoln asegura en un interesante artículo [14] que «durante los dos primeros siglos de su existencia, la Orden de Sión había consistido básicamente en un

---

[12] *Ob. cit.,* págs. 108-109.
[13] *Ob. cit.,* pág. 102.
[14] Henry Lincoln, «El Priorato de Sión, una sociedad secreta que conspira para dominar Europa», *Revista Año Cero,* n.º 12, diciembre de 1992, págs. 42 a 46.

LAS RAMAS CRISTIANAS DE LA FAMILIA DEL GRIAL Y LOS GRANDES MAESTRES DEL PRIORATO DE SIÓN EN LA EDAD MEDIA

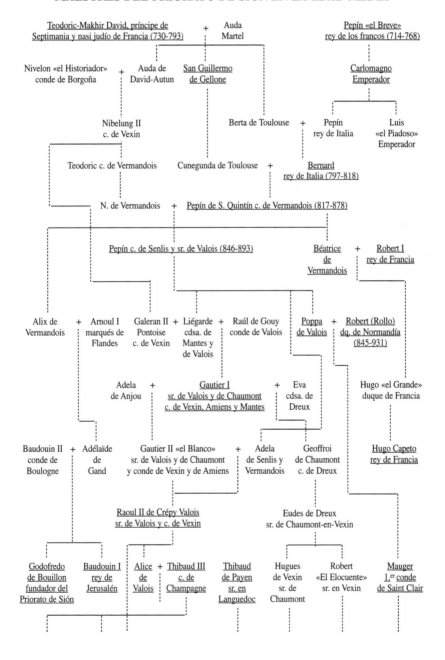

LAS RAMAS CRISTIANAS DE LA FAMILIA DEL GRIAL Y LOS GRANDES MAESTRES DEL PRIORATO DE SIÓN EN LA EDAD MEDIA
(Continuación)

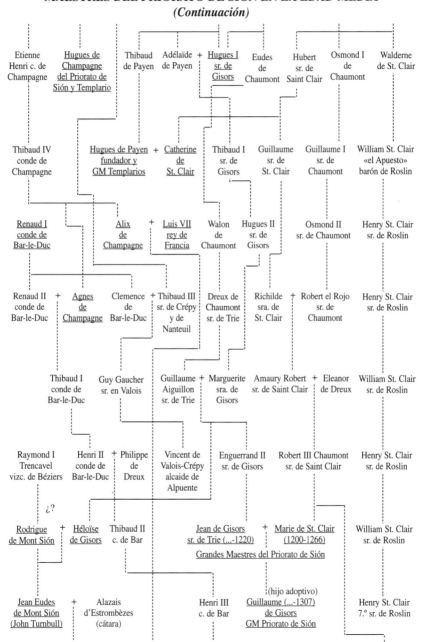

Etienne / Henri c. de Champagne

Hugues de Champagne / del Priorato de Sión y Templario

Thibaud de Payen

Adélaïde de Payen + Hugues I / sr. de Gisors

Eudes de Chaumont

Hubert / sr. de Saint Clair

Osmond I / de Chaumont

Walderne / de St. Clair

Thibaud IV / conde de Champagne

Hugues de Payen / fundador y GM Templarios + Catherine de St. Clair

Thibaud I / sr. de Gisors

Guillaume / sr. de St. Clair

Guillaume I / sr. de Chaumont

William St. Clair / «el Apuesto» / barón de Roslin

Renaud I / conde de Bar-le-Duc

Alix de Champagne + Luis VII / rey de Francia

Walon de Chaumont

Hugues II / sr. de Gisors

Osmond II / sr. de Chaumont

Henry St. Clair / sr. de Roslin

Renaud II / conde de Bar-le-Duc + Agnes de Champagne

Clemence de Bar-le-Duc + Thibaud III / sr. de Crépy / y de Nanteuil

Dreux de Chaumont / sr. de Trie

Richilde / sra. de St. Clair + Robert el Rojo / sr. de Chaumont

Henry St. Clair / sr. de Roslin

Thibaud I / conde de Bar-le-Duc

Guy Gaucher / sr. en Valois

Guillaume / Aiguillon / sr. de Trie + Marguerite / sra. de Gisors

Amaury Robert / sr. de Saint Clair + Eleanor / de Dreux

William St. Clair / sr. de Roslin

Raymond I / Trencavel / vizc. de Béziers

Henri II / conde de Bar-le-Duc + Philippe de Dreux

Vincent de / Valois-Crépy / alcaide de Alpuente

Enguerrand II / sr. de Gisors

Robert III Chaumont / sr. de Saint Clair

Henry St. Clair / sr. de Roslin

¿?

Rodrigue de Mont Sión + Héloïse de Gisors

Thibaud II / c. de Bar

Jean de Gisors / sr. de Trie (...-1220) + Marie de St. Clair / (1200-1266)

William St. Clair / sr. de Roslin

Grandes Maestres del Priorato de Sión

Jean Eudes de Mont Sión (John Turnbull) + Alazais d'Estrombèzes (cátara)

Henri III / c. de Bar

(hijo adoptivo) / Guillaume (...-1307) / de Gisors / GM Priorato de Sión

Henry St. Clair / 7.º sr. de Roslin

LAS RAMAS CRISTIANAS DE LA FAMILIA DEL GRIAL Y LOS GRANDES MAESTRES DEL PRIORATO DE SIÓN EN LA EDAD MEDIA
(Continuación)

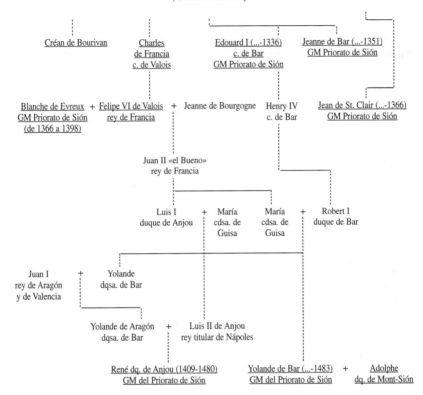

asunto de familia». Los primitivos grandes maestres, así como buen número de los posteriores, parecían, según su investigación, estar ligados a un complejo «bosque» de árboles familiares.

En efecto, como puede observarse en el esclarecedor cuadro genealógico anterior, sí que existe ese «bosque» de linajes de la misma estirpe davídico-carolingia. En el cuadro se ponen de manifiesto gráficamente las estrechas relaciones de parentesco existentes entre las personas que los integran —a los que algunos llaman Rex Deus—, quienes fueron protagonistas de los principales acontecimientos que ocurrieron a lo largo de la Edad Media. En el cuadro se han subrayado especialmente los grandes maestres del Priorato de Sión, además de otros personajes relevantes.

Si se observan con atención los nombres que aparecen subrayados en el anterior cuadro genealógico, efectivamente puede comprobarse *el parentesco que existe entre todos esos descendientes de los daví-dico-carolingios,* de los que algunos tuvieron un destacado protago-nismo en la primera Cruzada y en sus consecuencias, en la misteriosa creación de la sociedad secreta el Priorato de Sión y en la fundación del Temple, así como en la protección y en la defensa de los cátaros hasta su extinción. *Entre ellos parece existir un misterioso nexo o vínculo, además de un objetivo común:* se trata de la protección y conservación del linaje elegido, de los descendientes de David, de la auténtica *Sangre Real.*

Desde luego, como se deduce del cuadro genealógico que se acaba de ver, *todas las ramas cristianas de la familia del Grial proceden de una misma estirpe davídico-carolingia, que se encuentra principal-mente en San Guillermo de Gellone, en el rey de Italia Bernard y, sobre todo, en su hijo Pepín de S. Quintín, conde de Vermandois,* de quien descienden todos los linajes que se exponen en dicho cuadro genealó-gico. En efecto, de la familia del Grial, que es la davídico-carolingia, proceden, entre otros, los linajes siguientes: Vermandois, Valois, Flan-des, Chaumont, Boulogne, Champagne, Saint Clair, Gisors, la casa real Capeto, Bar-le-Duc, la casa real Valois y sus parientes Anjou. Además, como se sabe, existe una rama judía de la familia davídico-carolingia que comprende, entre otros, los linajes Trencavel, Toulouse y Foix. En cuanto al linaje Valois-Bar-le-Duc, resultante del matrimonio entre Clemence de Bar-le-Duc y el Valois Thibaud de Crépy-Nanteuil, ha de subrayarse que tuvo un destacado protagonismo en la Reconquista es-pañola, concretamente en la recuperación de Mallorca y de Valencia, como puede verse en mi obra *Los Valois de España* [15].

Entre las ramas cristianas mencionadas se hallan los linajes que detentaron en la Edad Media la dirección del misterioso y todopode-roso Priorato de Sión, pues *fueron grandes maestres del Priorato al-gunos miembros pertenecientes a los Boulogne (Bouillon), los Gisors, los Saint Clair, los Bar-le-Duc y los Valois-Anjou.*

---

[15] Joaquín Javaloys, *Los Valois de España,* SUMO Centro Gráfico, Las Rozas (Madrid), 2001.

Por último, si se tiene en cuenta todo lo expuesto hasta aquí, puede llegarse a comprobar más aún la realidad histórica contenida en los *romans* sobre el Grial, que ya se hizo patente en el apartado II.1) de este libro cuando hice una personalización de los equivalentes en la realidad de los personajes que protagonizan el *Parsifal* de Wolfram von Eschenbach. Por ejemplo, allí en un párrafo del resumen del *Parzival* se decía así:

> A su vez, Feirefiz (Rodrigue de Mont-Sión) es bautizado con agua del Grial y se casa con la doncella que portaba el Grial (Héloise de Gisors) marchándose a tierras orientales donde tienen un hijo al que denominan Preste Juan (Jean-Eudes de Mont-Sión, más conocido por John Turnbull).

El denominado Rodrigue de Mont-Sión parece que fue un occitano hermanastro de Roger II Trencavel, tal vez un hijo bastardo de Raymond I Trencavel, vizconde de Béziers, Carcassonne, Albi y Razès. Esto es lo que sugiere el *Parsifal* de W. Von Eschenbach, pero no se ha podido comprobar documentalmente.

Por otra parte, se ha de subrayar que Créan de Bourivan, el hijo natural de John Turnbull y de la cátara Alazais d'Estrombezes, fue uno de los cuatro caballeros que huyeron de Montségur, cuando cayó esta fortaleza, llevándose consigo para salvaguardarlo *el Grial secreto de los cátaros: los hijos del Grial.*

En definitiva, de lo narrado en este apartado puede concluirse que entre el Priorato de Sión, el Temple, los cátaros y sus protectores (condes de Toulouse, Trencavel, condes de Foix...) y ciertos personajes como John Turnbull, existieron misteriosas interrelaciones, a veces más de carácter familiar que institucional. Pero *todos ellos tenían algo en común: su dedicación a la tarea de la preservación del Santo Grial,* o sea, *de la Sangre Real* de la estirpe de David. En cualquier caso, *los principales servidores y guardianes del Santo Grial fueron siempre el Priorato de Sión y la Orden del Temple,* posiblemente *porque algunos de sus fundadores y de sus dirigentes eran miembros de algunas de las ramas cristianas del linaje del Grial.*

VI

LA PERVIVENCIA DEL LINAJE DEL SANTO GRIAL

VI.1

Del Temple a la Masonería: los Estuardo y los Valois-Borgoña del Toisón de Oro

L A ORDEN del Templo de Salomón cayó en desgracia cuando los cristianos tuvieron que abandonar Tierra Santa. El pueblo los acusaba de haberse convertido en banqueros y en políticos mientras olvidaban su misión principal de defensores de los Santos Lugares.

Además, los templarios practicaban el secretismo en sus ritos y en sus relaciones diplomáticas, y disfrutaban de un poder fáctico que ejercían con orgullosa autonomía frente a los reyes y a los obispos, por lo que eran odiados y calumniados.

Los monarcas y los magnates les envidiaban su excesivo poder, cimentado en sus inmensas riquezas. Sin embargo, los reyes europeos, a pesar de la envidia y el odio que sentían por el Temple, acudían frecuentemente a los templarios para solicitar préstamos, pues generalmente andaban escasos de dinero y necesitaban fortalecer sus maltrechas haciendas estatales.

Finalmente, el soberbio rey de Francia Felipe «el Hermoso» decidió suprimir la Orden del Temple para apoderarse de sus tesoros y riquezas. Con este fin, a través de su ministro Nogaret, organizó una terrible campaña de calumnias y llevó a cabo una detención masiva de miles de templarios, quienes, apresados y torturados sin piedad, acabaron por confesar todo lo que deseaban sus carceleros.

Entonces, el papa Clemente V intentó defender a sus súbditos templarios, pero solo consiguió llegar a una confrontación total y personal con el poderoso rey de Francia. Al final, el Papa renunció a la imposible tarea de mantener la Orden del Temple y, pragmático, decidió salvar lo salvable: hombres y bienes. Para ello, suprimió la Orden templaria pero sin condenarla, y en noviembre de 1307 ordenó a los reyes cristianos que detuviesen a todos los templarios que vivían en sus territorios.

Los reyes europeos, salvo Dionisio de Portugal y el excomulgado Roberto I Bruce de Escocia, aprovecharon la ocasión para incautarse de la mayor parte de las riquezas que tenían los templarios en sus territorios, a pesar de que el Papa había atribuido sus bienes a los Hospitalarios de San Juan de Jerusalén, que serían los teóricos sucesores de la extinguida Orden templaria. Posteriormente, el rey de Francia Felipe el Hermoso hizo quemar en la hoguera a Jacques de Molay, el último Gran Maestre del Temple, el 18 de marzo de 1314.

Tras estos acontecimientos, la singular Orden del Temple pareció haber desaparecido.

No obstante, lo que no desapareció fue su espíritu, ni mucho menos su misión secreta: la protección, salvaguardia y promoción del Santo Grial; o sea, de los miembros del linaje de la Sangre Real, que algunos llaman Rex Deus. Este espíritu y esta misión pasaron a ciertos herederos suyos. Tampoco parece que se esfumasen la mayor parte de sus tesoros.

Un autor bien documentado, Laurence Gardner, ha afirmado [1] rotundamente que «... los libros de historia actuales y las enciclopedias afirman unánimemente que los templarios desaparecieron en el siglo XIV. Pero se equivocan. La Orden de caballería del Templo de Jerusalén (distinta de la de los masones templarios, creada con posterioridad) continúa floreciendo en la Europa continental y en Escocia».

En las páginas siguientes de esta obra se intentará comprobar la veracidad o no de esta conclusión de L. Gardner. Para ello, comenzaré planteando una cuestión clave: ¿quiénes fueron los herederos de la Orden del Temple?

Para identificar concluyentemente a los herederos del Temple creo que hay que distinguir entre herederos *oficiales* y herederos *clandestinos*. En esta identificación voy a seguir a Michel Lamy [2] en los párrafos que se reproducen a continuación. Por supuesto, entre los herede-

---

[1] *Ob. cit.,* pág. 332.
[2] Michel Lamy, *La otra historia de los templarios,* Ediciones Martínez Roca, Barcelona, 1999, págs. 279 a 288.

ros oficiales hay que destacar ciertas órdenes militares designadas por la Iglesia. En primer lugar, como se ha dicho anteriormente, los Hospitalarios de San Juan de Jerusalén, que se convirtieron posteriormente en la Orden de Malta.

En efecto, como dice M. Lamy:

> ... Fue ella la que recibió oficialmente los bienes del Temple en Francia, es decir, aquellos a los que Felipe el Hermoso no había echado mano. La mayor parte de las capillas o de las encomiendas templarias que pueden verse todavía pasaron a sus manos y además a menudo las remodelaron considerablemente. A pesar de esto, sería muy sorprendente que hubieran recibido igualmente la herencia espiritual y los diversos secretos del Temple.
>
> Otros herederos oficiales son las órdenes de la Península Ibérica. En Portugal, los templarios fueron absueltos y el rey Dionisio I, llamado el «rey trovador», le envió al papa Juan XXII, sucesor de Clemente V, dos emisarios para negociar el renacimiento de la Orden del Temple. Se salió con la suya y la Orden resucitó o al menos los templarios pudieron entrar en una nueva Orden creada por ellos, la de los Caballeros de Cristo. Recuperaron todos sus bienes y obedecieron en adelante a la misma regla monástica que los caballeros de la Orden de Calatrava...
>
> ... En España, el rey Jaime II de Aragón realizó una operación semejante con la creación de la Orden de Montesa. Algunos templarios no habían esperado y habían entrado ya en las órdenes de Calatrava, de Alcántara y de Santiago de la Espada.

Pero la mayor parte de los templarios no se integraron en las mencionadas órdenes militares —herederas jurídicas o de hecho del Temple—, especialmente algunos dignatarios de la Orden que deseaban conservar los tesoros y perpetuar la misión secreta protectora del extinto Temple sobre el linaje del Santo Grial, del que seguían considerándose *guardianes*. Ellos prefirieron pasar, pura y simplemente, a la clandestinidad y refundar la Orden con nuevos ritos y símbolos masónicos, de conformidad con la decisión que había tomado el Gran Maestre Molay.

Esta conclusión la confirma también Michel Lamy, quien dice lo siguiente:

Fue por propia voluntad de Jacques de Molay por lo que la Orden habría pasado así a la clandestinidad. Es también esta voluntad la que recuerda otra tradición...

... Jacques de Molay, inquieto por el cariz que tomaban los acontecimientos como consecuencia de los arrestos, pensó en confiar una misión a un hombre de confianza. Algunos días antes de su suplicio, habría, pues, hecho llamar al conde François de Beaujeu y le habría pedido que se dirigiera a las tumbas de los Grandes Maestres... Luego le habría entregado tres llaves y revelado que el féretro bajo el cual estaba oculto el joyero contenía una caja de plata así como los anales y los secretos codificados de la Orden, sin olvidar la corona de los reyes de Jerusalén, el candelabro de siete brazos y los cuatro evangelistas de oro que adornaban el Santo Sepulcro. Este ataúd era precisamente el del anterior Gran Maestre: Guillaume de Beaujeu...

El conde se cercioró de la fidelidad de nueve caballeros que habían podido escapar a los esbirros de Felipe el Hermoso. Todos mezclaron su sangre e hicieron confesión de *«propagar la Orden por todo el globo mientras se pudieran encontrar en él nueve arquitectos perfectos»*. Luego el conde fue a pedirle autorización al rey para retirar de la tumba de los Grandes Maestres el ataúd de su tío paterno, Guillaume de Beaujeu. Lo obtuvo y se llevó, pues, ese ataúd y su muy preciado contenido. Aprovechó la ocasión para recuperar el contenido de las columnas y sin duda lo hizo transportar todo a Chipre.

A continuación, el conde de Beaujeu restableció la Orden, pero instituyó nuevos rituales utilizando el emblema del Templo de Salomón y de los «jeroglíficos que están relacionados con él».

Tras la muerte del conde de Beaujeu, la antorcha habría pasado a manos de d'Aumont, uno de los templarios que se habían refugiado en Escocia. Desde entonces, la Orden no habría dejado nunca de existir... [3].

En fin, numerosas tradiciones confirman el paso de la verdadera Orden del Temple a la clandestinidad, y que, para subsistir en Escocia, *la extinta Orden tuvo que acabar convirtiéndose en una institución masónica, ya que solo podía pervivir bajo el velo protector de la Masonería.*

Desde luego, el origen templario de la Masonería suele aceptarse por muchos autores, como se verá a lo largo de este apartado. En efecto,

---

[3] *Ob. cit.,* págs. 282 a 286.

Andrew Sinclair ha puesto de relieve la estrecha relación de la Orden del Temple con la Masonería que le sucedió, al menos en Escocia.

Para corroborar que los templarios escoceses y los procedentes de Francia y de otros lugares de Europa se transformaron en masones para pervivir sin ser molestados, se van a reproducir unos significativos párrafos que se encuentran en el libro *La Espada y el Grial* de Andrew Sinclair, quien subraya lo siguiente:

> (Al desaparecer el Temple), la mayoría de los templarios franceses huidos por mar se dirigieron a Escocia, seguros de ser bien acogidos por los Saint Clair cruzados y por otros terratenientes de Midlothian, en las proximidades de su presbiterio principal de Balantrodoch (pueblo que ahora se llama Temple); llevaban consigo probablemente su tesoro y lo que quedaba de los archivos del Temple de París. Según cierta tradición masónica francesa, los archivos y las riquezas fueron transportados en nueve barcos hasta la isla de Mey, en el fiordo de Forth, cerca de Rosslyn...
>
> ... los templarios fueron absorbidos en el nuevo gobierno de Escocia, ya fuera en la Real Orden bajo su maestre soberano, el rey, o en las antiguas órdenes y gremios de Escocia, bajo la jurisdicción hereditaria de los Saint Clair de Rosslyn, vecinos y partidarios de los templarios en su cuartel general de Balantrodoch. Esta inclusión de los supervivientes de la Orden del Templo de Salomón dentro de las órdenes y gremios escoceses explicaría la introducción de los ritos y leyendas del Temple en el movimiento masónico...
>
> ... La fusión de los templarios con los masones está escrita en piedra por toda Escocia... Está escrita, sobre todo, en la capilla de Rosslyn. Allí proliferan los símbolos templarios junto a los emblemas masónicos...[4].

Hasta aquí la narración del mencionado Andrew Sinclair, descendiente de *una familia, los Saint Clair, que fue y que sigue siendo protagonista de la historia y que*, en mi opinión, *está muy relacionada con la fundación y dirección de ciertas organizaciones masónicas* en las que se integraron muchos templarios que se exiliaron en Escocia y pasaron a la clandestinidad.

---

[4] *Ob. cit.*, págs. 60 y 194.

Para confirmar, sin lugar a dudas, que ciertos masones fueron los sucesores de los templarios, continuamos citando a A. Sinclair, quien concluye que:

> El último miembro de la larga línea de Saint Clair varones, que habían gobernado en Roslin durante siete siglos y habían conservado los misterios de los templarios y de los masones y la fe de la Edad Media, se llamó todavía William Saint Clair o Sinclair... Este «último Roslin» renunció al cargo hereditario de su familia de Gran Maestre de los Oficios, Gremios y Órdenes de Escocia para convertirse en el primer Gran Maestre electo de la Gran Logia de su país...
>
> Durante más de cinco siglos los Saint Clair de Rosslyn fueron Grandes Maestres hereditarios de los Gremios, Oficios y Órdenes y, más tarde, de los masones de Escocia. A través de sus relaciones con los templarios, introdujeron los antiguos ritos orientales en las prácticas masónicas [5].

En definitiva, se puede resumir afirmando inequívocamente que *muchos templarios se refugiaron en Escocia y se transformaron en masones bien en la Real Orden que presidía el propio rey, su maestre soberano, o bien en las antiguas órdenes y gremios que estaban bajo la jurisdicción hereditaria de los Saint Clair de Rosslyn.*

La continuidad en Escocia de los desaparecidos templarios y su transformación en los emergentes masones operativos, al menos en cuanto al espíritu del Temple, se prolongó siglos más tarde con la fundación de la masonería especulativa apoyada por los Estuardo. Este proceso evolutivo lo narra magistralmente Michel Lamy quien afirma lo siguiente:

> Las tradiciones templarias pudieron perpetuarse en esta región (Escocia) y más concretamente en el seno de las familias que habían apoyado el ascenso de Robert Bruce y permitido la independencia de Escocia, como los Seton o los Sinclair. Estas grandes familias proporcionaron la mayor parte de los miembros de la guardia escocesa, cuerpo de elite encargado de la protección del rey de Francia. Ellos habrían conservado, en la sombra, los secretos del Temple. Los vínculos

---

[5] *Ob. cit.,* págs. 214 y 215.

entre Escocia y Francia fueron tanto más poderosos cuanto que las relaciones con Inglaterra fueron malas, y Francia tomó partido resueltamente por la dinastía de los Estuardo. Ahora bien, fue en el entorno de los Estuardo donde se fundó la francmasonería especulativa en Inglaterra, particularmente a través de la Royal Society. En 1689 podía observarse en el entorno de los Estuardo una Orden de templarios en Escocia, cuyo Gran Maestre era John Claverhouse, vizconde de Dundee, y esta Orden se batía al servicio de los reyes escoceses.

Los Estuardo se convirtieron en reyes de Inglaterra, pero su catolicismo no fue muy bien admitido y fueron destronados. Cuando Jacobo II tuvo que exiliarse, fue acogido en Francia por Luis XIV, que puso a su disposición el castillo de Saint-Germain-en-Laye. Y fue justamente en esta ciudad donde la francmasonería escocesa se expandió en Francia. ¿Llevaban en sus bagajes los Estuardos la palabra más o menos fiel de la orden del Temple?...

... En cualquier caso, Jacobo II revivificó igualmente una Orden de caballería fundada en 1593 por su antepasado: la Orden de Saint-André-du-Chardon. Los miembros de esta Orden organizaron las logias jacobinas que se fundaron y expandieron a partir de Saint-Germain-en-Laye.

Sin duda, parcelas de la tradición templaria se transmitieron por esta vía, pero es difícil saber lo que quedaba en ellas del modelo original... [6].

Posteriormente, ya en el siglo XVIII, existe constancia documental de que se instituyeron grados denominados de *masones-templarios* en el Capítulo de Clermont. El barón de Hund creó la Orden de la Estricta Observancia Templaria y se atribuyó el título de Gran Maestre Templario. El ritual de esta Orden sigue vigente en ciertas logias con el nombre de rito escocés rectificado.

La supervivencia del espíritu templario en sus continuadores los rosacruces es sostenida por Josep Guijarro cuando dice [7] que:

«Tras la supresión de los templarios, circularon intensos rumores por Europa relativos a que la tradición secreta de los monjes-guerreros todavía se practicaba. Los gremios de constructores habían atraído

---

[6] *Ob. cit.,* págs. 287 y 288.
[7] *Ob. cit.,* pág. 208.

a muchos hombres de sabiduría aunque no necesariamente especializados en el oficio de la construccción... las órdenes que custodiaron los secretos del Temple debieron estar sumidas en la más absoluta clandestinidad y secreto...

... La llegada del Renacimiento hizo que algunas de las sociedades secretas se revelaran al mundo exterior. En 1597 hallamos las primeras referencias a la Hermandad Rosacruz... En 1610 apareció escrita una historia de la Orden de la Cruz Rosada por un misterioso personaje de origen alemán llamado Christian Rosenkreutz. En realidad se trataba de un opúsculo enmarcado en una obra mayor titulada Reforma General del Mundo. Según este libro, Rosenkreutz era un noble alemán fundador de la orden en el siglo XIV.

Por su parte, Laurence Gardner relaciona a los rosacruces con los caballeros del Temple, con el Grial y con la Orden del Toisón de Oro, pues afirma lo siguiente:

En los años 1614 y 1615 aparecieron en Alemania dos tratados conocidos como los *Manifiestos rosacrucianos*, cuyos títulos respectivos eran *Fama fraternitatis* y *Confessio fraternitatis*. Les siguió un tercer título aparecido en 1616, *Las bodas químicas*, escrito por el pastor luterano Johann Valentin Andreae. Es evidente que los primeros *Manifiestos* estaban escritos por autores relacionados, o quizá por el mismo Andreae, oficial del priorato de Nuestra Señora de Sión... Los escritos se centran en los viajes y el aprendizaje de un misterioso personaje llamado Christian Rosenkreutz, un hermano de la Rosacruz. Su nombre tenía evidentes connotaciones rosacrucianas y el protagonista vestía la indumentaria de la orden del Temple.

La acción de *Las bodas químicas* transcurre en el mágico Castillo de los novios, un lugar plagado de estatuas de leones, donde los cortesanos estudian a Platón. En una escenificación digna de los cuentos del Grial, una virgen deslumbrante prepara el pesaje de los presentes en una balanza, mientras un reloj marca los movimientos de los cielos y a los invitados se les muestra el Toisón de Oro [8].

Por último, parece interesante plantear *la cuestión de que si actualmente existen o no organizaciones masónicas herederas de la pri-*

8 *Ob. cit.,* págs. 339 y 340.

mitiva Orden del Temple. Para responder a ello, voy a reproducir en los párrafos siguientes el esclarecedor, fidedigno y documentado testimonio del doctor Carlos Raitzin [9] quien afirma lo siguiente:

> ... en el seno del Temple surgió a mediados del siglo XIII una corriente esotérica limitada a un círculo restringido de dignatarios de la Orden. Los rituales (si cabe tal nombre) que puede haber tenido este círculo no nos han llegado directamente pero hay fragmentos muy significativos que se han deslizado dentro de los Estatutos Secretos...
>
> Personalmente recibí todos los Grados de la Orden del Temple de una filiación alemana, la Ordo Militiae Crucis Templi que deriva del Barón von Hund y de la Estricta Observancia Templaria. Conjuntamente recibí la Carta Patente para la República Argentina con plenos poderes...
>
> ... en Masonería (pese a las muchas pretensiones en tal sentido) hay hoy poco que sea templario salvo alusiones en el grado 30 y algo muy característico en el grado 33 de mi Rito y que no sé si figura también en el REAA. Desde luego no se pueden dar detalles. En realidad, los únicos ritos masónicos que tienen una conexión real y directa con el Temple en cuanto filiación son el Rito Escocés Rectificado (originado en la Estricta Observancia templaria que deriva de Von Hund) y el Rito Sueco (fundado por los templarios en el exilio y cuyo Gran Maestre es el rey de Suecia)...
>
> ... Deseo referirme ahora al tema de las relaciones entre la Orden del Temple y la masonería operativa medieval. No se puede hallar seriamente una vinculación entre el Temple y la masonería especulativa nacida en el siglo XVIII con la Gran Logia Unida de Inglaterra. Esta última fue una desviación de la recta vía (como señala muy acertadamente el barón Von Sebottendorf en su célebre obra) y provocó un cambio casi inmediato de las relaciones entre la Iglesia y la Masonería. Hasta ese momento la Iglesia había protegido a los masones que construían sus catedrales. Pero luego de ese cambio siguieron las excomuniones conocidas.
>
> Retomando nuestro asunto, es sabido que existen diversas obras tendentes a probar la estrecha relación entre Temple y masones. Algunas de ellas son bonitas y bien escritas como la de John J. Ribinson

[9] Artículo titulado «Templarios y masones», del doctor Carlos Raitzin. Puede verse en el sitio: http://www.spicasc.net/tempmas.htm

Nacidos en sangre, pero la solidez de pruebas y el aparato crítico brillan por su ausencia. No es un tema fácil y hay que recurrir en parte a tradiciones orales y, felizmente, a las pruebas sólidas que también las hay, y muchas...

... Ha aparecido en los últimos tiempos otra pretendida filiación. Se trata de la OSTI (Orden Soberana del Temple Iniciático) con sede principal en París. La filiación reposa sobre la «Carta de Larmenius»... Esta Carta constituye uno de los fraudes más escandalosos que registra la historia del neotemplarismo. Se trata de justificar pretendidas filiaciones actuales de la Orden del Temple, todas ellas de origen muy reciente, *sin la menor legitimidad y sin la menor raiz en el pasado.* Tan pronto una orden neotemplaria invoca tal Carta pone de manifiesto que nada le vincula en realidad a la primitiva Orden del Temple...

... En cuanto a otras filiaciones templarias legítimas no masónicas diré lo siguiente. La filiación muy legítima y real de la Orden del Cristo de Portugal desgraciadamente se interrumpió en el siglo XVIII, según me informó el padre Das Neves, entonces vicerrector de la Universidad Católica de Lisboa. Actualmente la Orden sigue existiendo, pero a los caballeros se los nombra por decreto del presidente de esa República (lo cual es honorífico pero nada tiene de iniciático). Queda por mencionar los grupos templarios escoceses, los que tienen filiación real.

Hasta aquí, en definitiva, se han ido reproduciendo narraciones, testimonios y afirmaciones más o menos objetivas de autores especialistas en el tema de la continuidad que hubo entre los templarios y la Masonería. De la exposición de todas ellas, el lector habrá ido sacando sus propias conclusiones. Por mi parte, deseo subrayar ahora que la misión secreta del Temple: proteger y salvaguardar a los miembros del linaje del Grial o Rex Deus, fue continuada —al desaparecer el Temple— por el Priorato de Sión y por ciertas organizaciones masónicas.

En esta tarea, los reyes de Escocia, y consiguientemente los Estuardo, ejercieron un destacado protagonismo, tal vez por su pertenencia al linaje del Grial como descendientes del rey David de Israel.

Sobre esta descendencia davídica de los reyes de Escocia, Andrew Sinclair dice lo siguiente:

Todas las maravillas del castillo del rey Pescador se encontraban también en el castillo del divino Lug, que contenía los tesoros de los dioses celtas, entre ellos una lanza ensangrentada (que también poseía

Peredur, el caballero galés del Grial), una copa sin fondo, un caldero que podía alimentar a un ejército, una espada invencible y una piedra caída del cielo, como en el *Parsifal:* la Piedra del Destino o de Scone, sobre la que eran coronados los reyes irlandeses y escoceses hasta que los ingleses se llevaron su copia para coronar a los reyes de Gran Bretaña en Wetsminster.

Se decía tradicionalmente que esta piedra era el cabezal de Jacob, o la piedra de la Alianza. Demostraba que los reyes de Escocia descendían de los reyes de Judá y de Israel, y de la casa de David [10].

Desde luego, algunos reyes de Escocia se llamaron David posiblemente para recordar su estirpe davídica. En todo caso, ha de subrayarse aquí que, como ponen de relieve M. Hopkins, G. Simmans y T. Wallace-Murphy [11], en Escocia un núcleo fuertemente cohesionado de poderosas dinastías, unidas por lazos matrimoniales y otras alianzas, funcionaba como reserva de la tradición Rex Deus y del conocimiento sagrado, y canalizaba su transmisión.

Por mi parte, ya he demostrado en mi libro *El origen judío de las monarquías europeas* que los Estuardo son descendientes del rey David de Israel y que pertenecen a la estirpe del Santo Grial. Aunque los Estuardo dejaron de ser reyes de Escocia y de Inglaterra, su linaje continuó al casarse Sofía, la nieta de Jacobo I de Gran Bretaña y VI de Escocia, con Ernesto Augusto, elector de Hanover, cuyo hijo George I pasó a reinar en Gran Bretaña instaurando la dinastía Hanover. Su actual descendiente es la reina Isabel II del Reino Unido de la Gran Bretaña, que pertenece a la dinastía Hanover-Windsor.

Además, el linaje de los Estuardo se ha perpetuado también hasta el presente por otra rama. Para algunos, el actual jefe de la Casa real de los Estuardo es el príncipe Miguel de Albany, quien aparece con ese título como autor del prólogo del libro de Laurence Gardner [12] denominado *La herencia del Santo Grial*. Pero según otros, la Jefatura de los Estuardo corresponde hoy al duque de Baviera Francis II, quien es también descendiente directo de los Saboya.

---

[10] *Ob. cit.,* pág. 91.
[11] *Ob. cit.,* pág. 125.
[12] *Ob. cit.,* pág. 11.

En fin, en los siglos XIV y XV algunos miembros del linaje del Santo Grial —o Rex Deus—, como los Estuardo, los D'Anjou, los Valois o los Valois-Borgoña, intentaron agrupar a los principales miembros del linaje de la Sangre Real en ciertas Órdenes de caballería, especialmente en la Orden del Toisón de Oro y en la de la Jarretera. Estas Órdenes *exclusivas* no deben ser confundidas con otras que, siendo de iniciativa real, integraban a caballeros que podían ser de sangre real o no, pero en las que la selección se hacía teniendo en cuenta «las reglas ideales del honor y del bien público», o sea, lo que en términos actuales denominaríamos «mérito y capacidad». Entre estas últimas se encuentran algunas como la Real Orden de Escocia, de la que el rey de Escocia era el Maestre soberano y la Compañía de Nuestra Señora de la Estrella, creada y presidida por el rey de Francia Juan II «el Bueno» de Valois.

Por otra parte, L. Gardner ha subrayado que la denominación *Santo Grial* «... deriva directamente de una traducción de Saint Grail, y esta, a su vez, de las primitivas formas San Graal y Sangréal. La antigua Orden del Sangréal fue una orden de la casa real escocesa de los Estuardo (Stewart) que estuvo ligada a la orden europea del reino de Sión. Los caballeros de ambas órdenes fueron partidarios del Sangréal, que... define la verdadera Sangre Real (le Sang Réal) de Judá (y David): el linaje del Santo Grial» [13].

Desde luego, la Orden de Caballería de la Jarretera de Gran Bretaña es muy exclusiva. Fue fundada por Eduardo III en 1348 y sus miembros eran elegidos por el soberano, quien también podía integrar en ella a monarcas extranjeros y ex primeros ministros de sangre real. Eduardo III se consideraba el jefe del linaje del Santo Grial, pues era hijo de Eduardo II de Inglaterra (Anjou-Plantagenet) y de Isabel de Francia (Capeto), que fue apartada de la sucesión a la Corona de Francia a favor de los Valois, en aplicación de la Ley Sálica.

En fin, como han dicho específicamente M. Hopkins, G. Simmans y T. Wallace-Murphy [14] el Gran Maestre del Priorato de Sión René d'Anjou creó en Angers en 1448 «... una nueva orden restringida, la "Ordre du Croissant", cuyo emblema eran dos peces con el anagrama ictus en letras griegas sobre la luna en cuarto creciente alu-

---

[13] *Ob. cit.*, págs. 16 y 17.
[14] *Ob. cit.*, pág. 223.

dida en el nombre de la Orden. Solo se admitía a caballeros de noble cuna y reputación intachable...

... Ninguna relación acerca de Rex Deus y las órdenes de caballería a comienzos del siglo XV quedaría completa sin una referencia al papel desempeñado por René d'Anjou. En su juventud hizo demostración de fe absoluta en la naturaleza mística de la revelación espiritual marchando a París bajo las banderas de Juana de Arco. Este personaje, crucial para lo relativo a la caballería del periodo medieval tardío, fue llamado "el Buen Rey René" y titulado rey de Jerusalén así como de las Dos Sicilias, de Aragón, de Valencia, de Mallorca, de Cerdeña y de Córcega...Varias ramas del linaje Rex Deus confluían en su familia, porque su madre fue Yolanda de Aragón, y estaba casado con Isabel de Lorena. A su vez, Yolanda era la hija mayor de Roberto I, duque de Bar, y de la princesa María de Francia».

En los párrafos siguientes se va a demostrar que *las grandes órdenes de caballería exclusivas o restringidas fueron el «castillo» en el que se refugiaban, reunían y concertaban los miembros principales del linaje de la Sangre Real o Rex Deus.*

En efecto, esta tesis la avalan M. Hopkins, G. Simmans y T. Wallace-Murphy cuando afirman perspicazmente lo siguiente:

El conde William St. Clair no es el único enlace entre los templarios y la capilla (de Rosslyn), sino que además viene a constituir como un eslabón humano en varias de las cadenas que transmitieron la tradición Rex Deus. Entre sus muchos títulos, aparte los de gran maestre hereditario de los gremios escoceses de canteros, tejedores y demás oficios, figura la pertenencia a dos distinguidas órdenes de prestigio internacional. La primera de estas fue la de *La Coquille*, más conocida como Caballeros de Santiago. Esta orden militar, que había servido de refugio a tantos caballeros templarios huidos a España, continuó las tradiciones y prácticas templarias durante siglos en todo el mundo de habla hispana. Con el tiempo desarrolló una noción de «caballería» simbólica y admitió, a título honorífico, a las mayores luminarias de entre la nobleza Rex Deus a lo largo y ancho de Europa.

Los Caballeros de Santiago fueron un medio de transmisión oculto extraordinariamente útil por cuanto estaban legitimados por su fidelidad a la corona española y por el papel desempeñado en la Reconquista o expulsión del invasor mahometano de la Península. Los Rex

Deus supieron aprender de la experiencia con los templarios y siguieron empleando a los caballeros como vehículo de sus actividades...

La otra orden a la que perteneció el conde William fue mucho más exclusiva, tanto así que es de sospechar su formación de entre miembros selectos de Rex Deus únicamente. Nos referimos a la Orden del Vellocino o Toisón de Oro, fundada por Felipe el Bueno, duque de Borgoña, en 1430. Esta orden quedó restringida a 24 caballeros iniciados cuidadosamente seleccionados, a los que el papa Eugenio IV describió, en términos sorprendentes pero muy reveladores, como «Macabeos resurrectos», lo cual parece reflejar la auténtica procedencia dinástica de aquellos iniciados [15].

La Orden del Toisón de Oro fue establecida por el duque soberano de Borgoña Felipe «el Bueno» coincidiendo con sus esponsales con la infanta Isabel de Portugal en 1430. Entonces, los Valois-Borgoña pretendían ser los árbitros de Europa e instalarse en el trono de Francia en el que *reinaba*, a través de sus validos, su primo Carlos VI, «el Loco», con el que había roto cualquier lazo de vasallaje, pues se encontraba prácticamente en guerra con él. Entonces, Felipe «el Bueno» quiso convertirse en jefe del linaje del Santo Grial afirmándose como soberano de *una orden de caballería integrada exclusivamente por los principales miembros de ese singular linaje elegido,* que contaba inicialmente con 24 caballeros y el duque de Borgoña como soberano de la misma. El Toisón de Oro que colgaba del collar distintivo de la nueva Orden se convirtió en el símbolo de Jerusalén, Ciudad Santa que debía ser reconquistada por el duque y sus caballeros en una nueva cruzada.

Esta Orden fue utilizada hábilmente como instrumento al servicio de la política exterior borgoñona. Entre los caballeros que se integraron en la Orden borgoñona —mientras vivieron los duques Felipe «el Bueno» y su hijo Carlos «el Temerario»— pueden destacarse al duque de Bretaña Juan V; al duque de Alençon, Juan II; al conde de Comminges, Mathieu de Foix; al duque de Orleans, Carlos; a Alfonso V el Magnánimo, rey de Aragón, de Sicilia y de Nápoles; a sus sucesores: Juan II, rey de Aragón y de Navarra; Fernando V «el Católico», de Aragón, y Fernando I, rey de Nápoles. Otros miembros de la realeza o de la alta nobleza europea que se integraron entonces en la Orden

---

[15] *Ob. cit.,* págs. 221 y 222.

fueron Juan de Portugal, duque de Coimbra; Felipe de Saboya, conde de Bresse, y el mismísimo rey de Inglaterra Eduardo IV, soberano de la Orden de la Jarretera, quien, a su vez, nombró caballero de esta última Orden, también *exclusiva*, al propio duque de Borgoña Carlos «el Temerario».

Tras la muerte de este duque, en el sitio de Nancy en 1477, su hija la duquesa María de Borgoña se casó con Maximiliano de Habsburgo, que se convirtió en el tercer Soberano de la Orden del Toisón de Oro. Posteriormente le sucedieron como soberanos de esta Orden Felipe de Habsburgo «el Hermoso», el emperador Carlos V y Felipe II de España.

Los Habsburgos y los Austrias de España fueron unos soberanos del Toisón de Oro que respetaron, generalmente, la ideología fundacional de esta Orden, tal como la concebía Felipe «el Bueno» de Borgoña.

Una buena prueba de que, en sus dos primeros siglos de existencia, en la Orden del Vellocino se integraba a los miembros destacados del linaje de la Sangre Real la constituye la elección como caballero del Toisón de Oro del niño de doce años y medio conocido por Jeromín, al que se denominó por primera vez don Juan de Austria al ser nombrado caballero en el Capítulo XXIII que celebró la Orden en Gante en la iglesia de San Babón, a fines de agosto de 1559, y que fue el último convocado y presidido por *el rey Felipe II —al que se consideraba entonces jefe del linaje del Santo Grial—* días antes de su salida definitiva para España. Resulta, por lo tanto, que don Juan de Austria fue caballero del Toisón de Oro sin su conocimiento y antes de ser reconocido como hijo del emperador Carlos V por su hermanastro Felipe II, pues tal reconocimiento tuvo lugar más tarde: el 28 de septiembre de ese mismo año.

Como don Juan de Austria era hijo del Emperador, le correspondía ser caballero de la exclusiva Orden del Toisón de Oro, ya que portaba *la sangre real elegida por ser miembro del linaje del Grial,* lo que constituía el único —pero grandioso y suficiente— mérito del niño Jeromín.

VI.2

De los Trencavel a los Foix
y a los Albret del reino de Navarra

A L fallecer sin sucesión, al menos legítima, Roger Raymond III
o Raymond «el Joven», el último de los Trencavel, la jefatura
de la Casa de David pasó a sus parientes más próximos los
condes de Foix, como se ha demostrado documentalmente en el apartado IV.2). En efecto, Cécile Trencavel, la primogénita de Raymond I
Trencavel, vizconde de Albi, Béziers, Carcassonne y Razès, se había
casado con el conde de Foix Roger Bernard I «el Gordo» cuando el
hermanastro más pequeño de Cécile Trencavel era, por línea de varón,
el jefe de la Casa de David, pero al desaparecer la rama directa de los
Trencavel por falta de sucesión, la jefatura de esa Casa Real pasó al
conde de Foix descendiente de Cécile Trencavel que vivía entonces, o
sea, a Roger IV de Foix.

Los condes de Foix eran católicos, pues estaban bautizados, pero
tenían mucha sangre judía, tanto por su procedencia de los Trencavel
como por ser descendientes de los antiguos condes de Carcassonne,
cuyos antepasados directos eran San Guillermo de Gellone y el propio Natronai Makhir-Teodoric, nasi de los judíos en Francia.

Por tanto, cuando murió el último Trencavel sin hijos, el linaje de
la Sangre Real continuó por los sucesivos condes de Foix hasta que
Gastón IV de Foix se casó con la princesa Leonor, la hija de Juan II
rey de Aragón y de la reina Blanca de Navarra. *Entonces se llevó a
cabo la unión entre la Casa de los condes de Foix y la Casa Real de
Navarra.*

En el cuadro genealógico que se ofrece a continuación pueden
verse los sucesivos condes de Foix que ha habido de los siglos XIII a XV,
o sea, hasta su unión con la Casa Real de Navarra:

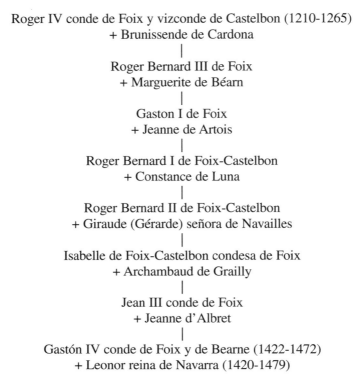

Roger IV conde de Foix y vizconde de Castelbon (1210-1265)
+ Brunissende de Cardona
|
Roger Bernard III de Foix
+ Marguerite de Béarn
|
Gaston I de Foix
+ Jeanne de Artois
|
Roger Bernard I de Foix-Castelbon
+ Constance de Luna
|
Roger Bernard II de Foix-Castelbon
+ Giraude (Gérarde) señora de Navailles
|
Isabelle de Foix-Castelbon condesa de Foix
+ Archambaud de Grailly
|
Jean III conde de Foix
+ Jeanne d'Albret
|
Gastón IV conde de Foix y de Bearne (1422-1472)
+ Leonor reina de Navarra (1420-1479)

Desde luego, como ha puesto de manifiesto certeramente Eloísa Ramírez Vaquero [1], «el advenimiento de la casa de Foix, precisamente, colocaría en primer plano el difícil equilibrio de la monarquía (navarra) entre sus vecinos: por una parte estaban Castilla y Aragón... enfrentados a Francia e interesados en mantener una Navarra de tradición peninsular, alejada de las influencias de París. Por otro lado estaba el rey de Francia, señor de los monarcas navarros por sus cuantiosas posesiones francesas —Foix, Bearne y Albret—, dispuesto a evitarlo a toda costa y empeñado además en una labor de recuperación sistemática del poder real en todo su territorio, incluido el de estos poderosos señores meridionales. Su solidez como reyes de un pequeño reino pirenaico suponía un serio peligro, máxime si escapaba a su soberanía».

El reino de Navarra, en la etapa más conocida y gloriosa de su historia independiente, en los siglos XIII-XIV, era uno de los más peque-

---

[1] Eloísa Ramírez Vaquero, *Historia de Navarra II: La Baja Edad Media,* Colección Temas de Navarra, Gobierno de Navarra, 1997, págs. 82 y 83.

ños de Occidente, pues contaba con unos diez mil kilómetros cuadrados de extensión y solamente de 60.000 a 70.000 habitantes. A pesar de su dimensión, era relativamente rico y tenía una buena organización por lo que era importante en la Europa de esa época. En el reino de Navarra convivían vascones, hispanos y franceses en un clima de entendimiento y de tolerancia que se extendía también hasta las minoritarias comunidades judía y musulmana que contribuían decisivamente al desarrollo de Navarra, sobre todo los cultos y laboriosos judíos.

En efecto, como ha dicho [2] Béatrice Leroy «Navarra ha sido configurada tanto por los franceses, por los aragoneses o por los judíos como por los propios navarros. Esos pueblos se unieron, desde Labastide-Clairence hasta Tudela y, en unos cuantos siglos, supieron escribir una historia de Navarra. Todos dieron vida a Navarra: los guerreros de Roncesvalles, los reyes llamados Sancho o Teobaldo o Carlos, los hacendados de las montañas o los judíos de Tudela, los obispos de Pamplona o los monjes de Oliva, los comerciantes de caballos y los comerciantes de paños, los viticultores y los ganaderos».

Además, ha de destacarse que, como ha subrayado Carlos Clavería [3], «es muy importante el papel que desempeñaron los judíos en la vida medieval de Navarra. Tanto la medicina, las letras, el comercio y economía, estuvieron notablemente influidas por el espíritu paciente y analista de esta raza extraña que se estableció en sus ciudades y villas».

Se ignora la fecha exacta en que los judíos llegaron a Navarra... De las Galias pasaron los primeros judíos que fundaron las aljamas más importantes del país y cuyo desarrollo aumentó durante los días del emperador Adriano. Por un cómputo de fechas se cree saber que hacia el año 900 ó 905 se crearon las primeras.

Las hubo en Pamplona, Estella, Tudela, Lerín, Vitoria, Viana, Funes y otras poblaciones. Estos barrios llamados aljamas estaban cercados por un muro provisto de una sola puerta. Gobernábanse por sus propias leyes y poseían una especie de Consejo municipal, con regidores (el de Tudela tenía 20 miembros en 1363), alguaciles y otros cargos propios de toda organización autónoma».

---

[2] Béatrice Leroy, *Historia del reino de Navarra,* Editorial Swan, 1986, pág. 97.
[3] Carlos Clavería, *Historia del reino de Navarra,* Editorial Gómez, Pamplona, 1976, págs. 466 y 467.

Por otra parte, para conocer la importante influencia y *la andadura de los condes de Foix y de su linaje de la Sangre Real en los asuntos navarros*, se ha de tener en cuenta que, en la Navarra de mediados del siglo xv, el problema dinástico estaba en su punto álgido con las luchas abiertas entre el príncipe de Viana don Carlos y su padre, el rey de Aragón Juan II que seguía reinando en Navarra tras la muerte de la reina Blanca de Navarra en 1141. Los navarros se enfrentaban y dividían en dos bandos: los agramonteses, partidarios del rey, capitaneados por los Peralta y los Navarra, y los beaumonteses, defensores del príncipe de Viana, encabezados por el señor de Beaumont con Juan de Luxa.

Efectivamente, en el año 1453, como ha puesto de relieve certeramente Eloísa Ramírez [4], «tras la liberación de don Carlos todo se había complicado considerablemente. En Navarra seguían las escaramuzas, y el conde de Foix, marido de la infanta Leonor, la otra hermana del Príncipe de Viana, intervenía a favor del rey. En Castilla se produciría en seguida el relevo en la Corona, que en 1454 asumía Enrique IV, el cual pronto repudiaría a su mujer, la infanta Blanca de Navarra. Para finales de 1455 debía irse perfilando ya el próximo y más trascendental paso del rey de Navarra, que en el mes de octubre convocó en Barcelona a los condes de Foix. Los acuerdos firmados el 3 de diciembre de aquel año por el rey con su hija Leonor y su yerno, y en el mes de abril de 1456 con el rey de Francia, desheredaban al Príncipe de Viana y a su hermana Blanca, entregando la sucesión y todas sus responsabilidades, es decir, la primogenitura, a Leonor y al conde Gastón IV de Foix, que, con el beneplácito del rey de Francia, su señor en tierras de Foix, se comprometían a ayudar a Juan II».

Finalmente, el 26 de septiembre de 1461, en Barcelona, murió el príncipe de Viana. Entonces los condes de Foix casaron en 1462 a su heredero con Magdalena de Valois, hermana de Luis XI de Francia. Poco más tarde, el 12 de abril de ese año, se llegó a un acuerdo en Olite, al que dio su conformidad el conde de Foix, donde se reconocía el derecho a reinar en Navarra de Juan II pero dejando el soberano a su hija Leonor como heredera.

Ante la compleja situación en que se encontraba el reino, la lugartenencia ejercida por los condes de Foix no pudo actuar eficazmente

---

[4] *Ob. cit.*, págs. 91 y 92.

y terminó en un inevitable fracaso. Por ello, el rey destituyó a los condes de Foix y nombró al hijo de estos, Gastón, lugarteniente del reino. Pero Gastón V de Foix murió repentinamente al año siguiente.

A su vez, tres años más tarde, cuando Gastón IV se disponía a cruzar el Pirineo al frente de sus tropas, le sobrevino la muerte en Roncesvalles el 10 de julio de 1472, por lo que la situación de la princesa Leonor de Navarra empeoró considerablemente ya que perdió sus derechos sobre los señoríos de los Foix que, como bienes privativos, heredaban sus nietos tutelados por su madre.

Posteriormente, tras unos años de luchas y de conflictos civiles entre los navarros, la situación cambió bruscamente cuando el rey Juan II murió el 19 de enero de 1479 en Barcelona.

Entonces, fue jurada Leonor como reina de Navarra el 28 de enero de 1479 en Tudela, en un clima de incertidumbre con una complicada situación interior y con la perspectiva de un heredero francés, criado por Magdalena de Francia. Leonor tuvo un brevísimo reinado, pues murió el 12 de febrero de ese mismo año.

Por otra parte, dada la importancia del advenimiento a la Corona de Navarra de la Casa de los Foix-Albret, parece conveniente exponer ahora la evolución del linaje de la familia de la Sangre Real en los siglos XV y XVI, que se irá narrando en las páginas siguientes:

Gastón IV conde de Foix y de Bearne (1422-1472)
+ Leonor reina de Navarra (1420-1479)
|
Gastón V de Foix príncipe de Viana (1444-1470)
+ Magdalena de Francia (1443-1495)
|
Catalina de Foix reina de Navarra (1468-1517)
+ Jean III d'Albret (1469-1516)
|
Enrique II rey de Navarra (1503-1555)
+ Marguerite d'Angoulème (1492-1549)
|
Juana III reina de Navarra (1528-1572)
+ Antoine de Bourbon-Vêndome (1518-1562)
|
Henri IV de Bourbon rey de Francia y de Navarra (1553-1610).

Al fallecer la reina Leonor le sucedió en la Corona su nieto Francisco Febo, hijo de Gastón V de Foix y de Magdalena de Francia. Con el acceso de Francisco Febo al trono de Navarra se produjo un gran divorcio entre el pueblo navarro y su nuevo soberano, al que consideraban francés, o sea, extranjero. Además, como ha subrayado Eloísa Ramírez [5], «los reyes Foix-Albret estuvieron efectivamente entre la espada y la pared: entre dos soberanos enfrentados y con una inusitada capacidad para desarrollar una presión continuada y efectiva en los mismos centros del poder: los bandos y la Corona... Francisco Febo murió inesperadamente el 30 de enero de 1483, seguramente después de un proceso infeccioso... Con la sucesión de su hermana (Catalina), también menor de edad, se abrió, en primer lugar, un periodo de mayor crispación política. (Entonces) Juan de Narbona añadió a sus reclamaciones la supuesta imposibilidad de las mujeres para reinar o transmitir los derechos. Al mismo tiempo, la cuestión del matrimonio regio adquiría mayor importancia, dado que ahora el elegido sería quien ejerciese el gobierno y la soberanía... Tras consultar (la regente Magdalena) a los Estados de Bearne, pero no a las Cortes de Navarra, como era preceptivo, y que ya se inclinaban en contra del candidato francés, acordó el matrimonio de su hija con Juan de Albret, de siete años de edad...».

La llegada de los Albret a la monarquía navarra no mejoró la precaria situación del país pirenaico. El reinado efectivo de Catalina de Foix y Juan III de Albret comenzó con la coronación real que tuvo lugar el 12 de enero de 1494. Entonces, Navarra se hallaba en unas delicadas circunstancias, por lo que fracasaron los esfuerzos de los reyes para fortalecer la Corona en los años finales del siglo XV. Desde luego, tras la muerte de la reina Isabel la Católica de Castilla en 1504, se iba haciendo imposible para los reyes navarros mantener su soberanía ante la conflictiva presión de Francia y de Castilla y Aragón. Luis XII no quería que existiese el reino pirenaico de Navarra si este no dependía de Francia, por lo que, para seguir presionando, unos años más tarde decretó la confiscación de los dominios franceses de los Albret. El rey Fernando, más hábil, mantuvo una cierta ambigüedad, junto a unas excelentes relaciones con los Beaumont.

---

[5] *Ob. cit.,* págs. 100 a 103.

Finalmente, el ya viudo Fernando el Católico llevó a cabo una sorprendente maniobra política, pues el 19 de octubre de 1504 se casó con Germana de Foix, hija de Juan de Narbona y hermana de Gastón de Foix, el que ahora reivindicaba la sucesión de la casa de Foix.

Pero la cuestión de la independencia de Navarra iba a relacionarse en último término con la evolución de las guerras que en Italia enfrentaban a Luis XII y a Fernando el Católico, pues el aragonés consiguió el apoyo de las ciudades y del Papa a su causa, con lo que se formaron varias *ligas* contra el monarca francés, quien, sin embargo, se atrevió a convocar un concilio de la Iglesia en Pisa con el fin de desautorizar al Papa, lo que conllevaba su excomunión y la consideración de rey *cismático*. La Iglesia de Navarra no llegó a asistir a ese concilio, de lo que Luis XII culpó a los reyes navarros. Por su parte, Fernando aprovechó la ocasión para declarar la guerra a Francia en marzo de 1512, con lo que mostró su apoyo al Papa y cumplió su compromiso como integrante de la «Santa Liga».

Sin embargo, la difícil situación en Navarra cambió ante un imprevisto acontecimiento que Eloísa Ramírez describe [6] así:

> El 11 de abril de 1512 moriría inesperadamente (el pretendiente) Gastón de Foix, el heredero de Juan de Narbona y de sus reivindicaciones contra los Albret. La herencia de estos derechos recaía ahora nada menos que en su hermana Germana de Foix, casada con Fernando el Católico; el rey de Francia perdía, pues, todo interés en la causa de la otra rama de la casa de Foix, que ahora favorecía directamente a su mayor enemigo e inició inmediatamente las negociaciones para recuperar la amistad de Juan y Catalina y rectificar la confiscación (de sus bienes).
>
> Los reyes de Navarra negociaron ahora a dos bandas, intentando mantener la neutralidad y a la vez recuperar sus bienes franceses en las mismas condiciones previas a la confiscación... el 18 de julio de 1512 se firmó en Blois el tratado entre Juan y Catalina y Luis XII de Francia... los reyes se acababan de aliar con el rey francés declarado cismático, lo que, en los usos de la época, lo despojaba —y a todos los que se aliaran con él— de prerrogativas, derechos y tierras.

---

[6] *Ob. cit.,* pág. 105.

En consecuencia, el rey de España, que conocía perfectamente la insostenible coyuntura en que sus reyes habían colocado a Navarra, reivindicaba la Corona para su esposa Germana de Foix y, además, tenía acampadas en la frontera castellano-navarra a las fuerzas españolas, apoyadas por la Santa Liga, por lo que dio orden al duque de Alba para invadir y ocupar Navarra. El día 25 de julio se rindió pacíficamente Pamplona. Juan de Albret se dirigió a sus dominios del Bearne para reunirse con la reina. La intervención militar del Rey Católico, aprovechando la bula de excomunión de Catalina de Foix y de su esposo, no se detuvo en los Pirineos. Las tropas continuaron su avance, atravesando los puertos y se apoderan de las villas y de los sitios estratégicos de la Baja Navarra. Se acabó así la andadura independiente del reino de Navarra, al menos en la parte peninsular española.

Por supuesto, unos años después, los Albret intentaron reconquistar sus perdidas tierras navarras. Enrique II de Navarra, el hijo y sucesor de Catalina de Foix, era muy amigo del nuevo rey francés Francisco I y contaba con su apoyo. Por ello, en 1521 las tropas de Enrique II, reforzadas con las del Valois-Angulema, invadieron la Navarra peninsular por Roncesvalles y se dirigieron a Pamplona, pero fueron derrotadas en Noaín, por lo que al ser acosadas por el ejército de Carlos I tuvieron que volver a sus territorios ultrapirenaicos, hasta donde fueron perseguidas en diversas operaciones de castigo.

Enrique II d'Albret participó en algunas batallas, para ayudar a su soberano y amigo Francisco I, pero acabó casándose con la hermana del rey francés, Margarita de Angulema, y dedicándose a los placeres y lujos de la vida cortesana, hasta que falleció en 1555.

El Albret Enrique II era un personaje peculiar del que Georges Bordonove ha hecho la siguiente semblanza:

> ... él amaba bastante a su pueblo, por lo que intentó mejorar su suerte creando puestos de trabajo con la implantación de talleres artesanos. Hizo venir labradores de Saintonge para roturar tierras, así como tejedores y tintoreros para fabricar las famosas y refinadas telas del Béarn. Participaba gustosamente en las fiestas populares, mezclado por inclinación y por temperamento con sus súbditos, siendo lo menos «majestuoso» posible; era amado y respetado, gran cazador,

amante de la vida, y tenía más del gentilhombre campesino... que del soberano [7].

A Enrique II d'Albret le sucedió su hija Juana, de 27 años, como reina de la Baja Navarra. Al estudio de la singular Juana d'Albret le ha dedicado mucho espacio en su interesante obra [8] Susana Herreros Lopetegui, en la que se dice que Juana contrajo matrimonio con Antonio de Borbón el 2 de octubre de 1548, miembro de la alta nobleza francesa. Fue lugarteniente general de Francia con Francisco II y en 1562 dirigió la armada francesa contra el príncipe protestante Condé, al que venció en Bourges. Posteriormente, Antonio de Borbón acudió a auxiliar a los sitiados en Rouen, pero encontró la muerte allí —defendiendo la fe católica— el 17 de noviembre de 1562. En cambio, Juana d'Albret era protestante y abjuró con toda solemnidad del catolicismo en las Navidades de 1560 y mantuvo su adhesión al calvinismo el resto de sus días. Las Guerras de Religión, que habían estallado en Francia con la masacre de Wassy protagonizada por los Guisa, se extendieron después a la Baja Navarra, como al resto de las posesiones de los Albret, llegándose a una verdadera guerra civil cuando Juana prohibió celebrar misa y confiscó los bienes religiosos.

Años más tarde, Juana d'Albret negoció con Catalina de Médicis el matrimonio de su heredero Enrique de Borbón con la infanta de Francia Margarita de Valois, que se llevó a cabo a pesar de la oposición del Papa y del rey de España, Felipe II. Los intentos de la protestante Juana para convertir a la joven princesa fueron infructuosos; por el contrario, Margarita se reafirmaba cada vez más en sus exigencias de que la boda se celebrase en Notre-Dame de París siguiendo el ceremonial católico. Juana, que se hallaba en el castillo de Blois en espera del resultado de las conversaciones con la corte francesa, murió inesperadamente el 4 de junio de 1572.

En todo caso, *la herencia de los Albret, como la de los Borbón-Vendôme, quedaba en buenas manos: a Enrique, que era el nuevo jefe del linaje de la Sangre Real, le esperaba un buen porvenir.* En efecto,

---

[7] Georges Bordonove, *Les Rois qui ont fait la France: Henri IV,* Pygmalion-Gérard Watelet, París, 1981, pág. 26.

[8] Capítulo 11: El reino de la Baja Navarra, en *Historia de Navarra,* Editorial Kriselu, San Sebastián, 1990, págs. 257 a 260.

como ha dicho Béatrice Leroy [9], «el hijo de Juana d'Albret, al unir su
título (rey de Navarra), vacío y minúsculo, a uno de los más presti-
giosos reinos de Occidente, perpetuó hasta la historia más reciente el
recuerdo de esos "reyes de Francia y de Navarra". Enrique de Navarra, al convertirse en el buen rey Enrique IV de Francia, decidió, a partir de 1589, vivir en París y no en Saint-Jean-Pied-de-Port. En 1607
incorporó oficialmente la Baja Navarra a la corona de Francia, en el
gobierno del Bearn. Pero el título y las armas se mantuvieron unidos
a los de Francia, pues ningún soberano se resignaba a dejar caer en el
olvido una parte de la historia de su reino».

En definitiva, *los soberanos Foix-Albret de Navarra supieron
mantener,* a pesar de innumerables dificultades, *una realeza en ejercicio*, siendo al menos monarcas de la Baja Navarra. *En ellos, el linaje
de la Sangre Real había pervivido dignamente.* Ahora, *en su sucesor
Enrique de Borbón y de Albret, iban a converger tanto la Sangre Real
del linaje capeto como la del linaje Foix-Albret de Navarra.* Entonces,
*cristianos y judíos volverían a estar de acuerdo sobre la persona a
quien correspondía la jefatura de la perdurable Casa de David. Enrique de Borbón*, fundador de una prestigiosa dinastía real, iba a ser *un
excelente sirviente del Santo Grial.*

---

[9] *Ob. cit.,* pág. 162.

VI.3

La convergencia de la Sangre Real en el rey de Francia Enrique de Borbón y en los Estuardo, y la pervivencia del Grial actualmente

C UANDO el nasi de los judíos de Francia Guillermo de Toulouse se convirtió al cristianismo, se hizo monje y se retiró al
monasterio de Gellone que había fundado, muchos cristianos
sostuvieron que, tras la *alianza de sangre* entre los davídicos y los carolingios y el acto de vasallaje a Carlomagno del nasi judío Makhir
Natronai-Teodoric, la jefatura de la Casa Real de David pasó a detentarla por adopción el propio emperador de la Cristiandad, ya que esta
era el *nuevo pueblo elegido*.

Pero los legitimistas cristianos opinaban que el jefe de la Casa de
David resultante de esa *alianza de sangre* no podía ser Carlomagno,
sino un descendiente directo común procedente de ambas estirpes.
Entonces, como ya se habían unido en matrimonio Berta de Toulouse,
una hija de Makhir-Teodoric, y el rey de Italia Pepín, hijo de Carlomagno, concluían que al hijo primogénito de ambos, Bernard, que
también fue rey de Italia, le correspondía la jefatura del linaje de la
Sangre Real. Además, Bernard de Italia estaba casado asimismo con
Cunegunda de Toulouse, una hija del ya mencionado nasi de los judíos Guillermo de Toulouse.

Para los judíos, el sucesor de Guillermo como nuevo jefe de la Casa
de David fue indudablemente el hijo menor de Guillermo, Bernard de
Septimania, nuevo nasi de los judíos de Francia.

Sin embargo, la cuestión de la jefatura legítima de ese linaje se había complicado cuando el hijo y sucesor de Carlomagno, el emperador Luis «el Piadoso», eliminó —ajusticiándolo por rebelión— a Ber-

nard de Italia, como ya he narrado con detalle en mi libro titulado *El origen judío de las monarquías europeas* [1].

El ajusticiamiento de Bernard tendría nefastas consecuencias para Luis y para el mantenimiento del Imperio. Bernard era el nieto primogénito de Carlomagno, ya que si bien su padre, Pepín de Italia, era el segundo hijo legítimo del Emperador, su hermano mayor, Carlos, había muerto el 811, sin hijos.

Carlomagno, al hacer su testamento, prefirió dejar como emperador a Luis, su hijo menor, en lugar del jovencísimo Bernard de Italia, pero no olvidó a su nieto primogénito, que tenía entonces quince años, siendo demasiado joven para regir el Imperio y le confirmó como rey de Italia, tal vez teniendo en cuenta que a *Bernard le correspondía la jefatura de la rama cristiana más pura del linaje davídico-carolingio*, lo que le hacía un potencial candidato a emperador, pues su predestinación parecía superior a la del propio Luis «el Piadoso».

Ciertamente, el rey Bernard de Italia no había sido ungido y no era persona sagrada todavía, pero *al ajusticiarlo Luis eliminaba no solo a un competidor con mayor legitimidad potencial que el mismo emperador para gobernar*, sino que *los davídico-carolingios imperiales descabezaban así a los davídico-carolingios puros*.

En fin, tras el ajusticiamiento del rey Bernard de Italia, la cuestión de la jefatura de la Casa de David siguió estando en disputa. Para los cristianos legitimistas esa jefatura pertenecía al heredero primogénito de Bernard, que era Pepín II conde de Vermandois, al que se le privó del trono de su padre.

En cambio, para los cristianos imperiales, la jefatura correspondía a Luis «el Piadoso» y, posteriormente, a los emperadores que le sucedieron.

Pero como el tiempo acaba enderezando las cosas, esa disputa terminó cuando, unas generaciones más tarde, vino al mundo un vástago común a Luis «el Piadoso» y al conde de Vermandois Pepín II: su nombre era Hugo Capeto, quien en 987 fue elegido rey de Francia, y con él se inició la andadura secular de la famosa dinastía capeta.

Por lo tanto, en Hugo Capeto llegaron a converger los dos linajes cristianos davídico-carolingios y, consiguientemente, la jefatura del linaje de la Sangre Real, en opinión de los cristianos.

---

[1] *Ob. cit.*, pág. 60.

Sin embargo, los judíos no lo reconocieron como jefe de la Casa de David, a pesar de que Hugo Capeto era también descendiente en línea recta de San Guillermo de Gellone. *Para ellos*, como se ha dicho anteriormente, *esa jefatura había pasado de Guillermo de Toulouse a su hijo el nasi Bernard de Septimania. Además, cuando este, a su vez, fue también ajusticiado, esta vez, por el rey de Francia Carlos «el Calvo», los judíos dieron por rota definitivamente la alianza de sangre entre la familia descendiente de David y los carolingios.*

Entonces, como ya hemos visto en el apartado IV.2) de este libro, a pesar de que cuando Bernard de Septimania fue ejecutado su hijo Aton d'Albi era tan solo un bebé, dado que Aton era hebreo tanto por su padre como por su madre, los judíos reconocieron al pequeño como sucesor en la jefatura de la Casa de David.

De Aton d'Albi desciende la famosa dinastía de los Trencavel. Posteriormente, como ya se ha dicho, al morir sin hijos, al menos legítimos, Raymond «el Joven», el último de los Trencavel, la jefatura de la Casa de David y del linaje del Santo Grial pasó a sus parientes más próximos, que eran los cátaro-judíos condes de Foix.

En definitiva, como ya se ha demostrado en el apartado anterior de esta obra, muchas generaciones más tarde la jefatura del linaje de la Sangre Real llegó a recaer en el descendiente de esos condes de Foix Enrique de Borbón, III rey de Navarra y IV de Francia, quien fue el fundador de la dinastía de los Borbones. Toda esta evolución se recoge en los cuadros genealógicos que se incluyen más adelante para ilustrarla gráficamente.

Por lo tanto, *lo mismo para los cristianos que para los judíos, Enrique de Borbón era el legítimo sucesor y el jefe del linaje de la Sangre Real*, pues *en él llegaron a converger tanto el linaje davídico heredero de la jefatura de la Casa de David según los cristianos como el verdadero linaje davídico en opinión de los judíos.*

En consecuencia, esa jefatura del linaje del Grial parece que corresponde hoy a los Borbones de España, que son los sucesores directos del rey francés Enrique de Borbón.

Sin embargo, una gran parte de autores cristianos anglosajones, que ignoran la existencia de una rama judía del linaje del Santo Grial, dicen que *el derecho divino a gobernar* lo obtuvo ya el rey de Wessex Egbert por su enlace matrimonial con Raedburth, hija del jefe de la Casa Real de David, que era Makhir-Teodoric de Autun, nasi de los judíos de Francia y príncipe de Septimania.

Como puede verse en el cuadro genealógico de la Sangre Real que se expone más adelante, el rey Egbert es antepasado de todos los reyes de Inglaterra. Tal vez por ello, concluyen afirmando que la jefatura del linaje del Grial se encuentra actualmente en la reina Isabel II del Reino Unido de la Gran Bretaña.

Además, otros autores cristianos, generalmente anglosajones, opinan que el linaje de la Sangre Real converge en los *jacobitas*, o sea, en el rey Jaime I de Inglaterra y VI de Escocia y en sus sucesores, ya que el padre de este monarca, es decir, el rey de Escocia Jaime V, se había casado con María de Lorena, descendiente de los Valois de Francia; pero, sobre todo, porque la dinastía capeta directa no se extinguió —pues la Ley Sálica solo podía afectar, en su caso, a Francia— y continuó legítimamente no por los Valois sino por Isabel, la hija del rey de Francia Felipe IV «el Hermoso», que se casó con el rey Eduardo II de Inglaterra. De estos cónyuges descienden por línea recta Jaime I de Inglaterra y Escocia y, en general, los jacobitas.

En fin, otra gran parte de autores cristianos anglosajones opinan que no se puede ignorar a la rama judía del linaje del Grial, por lo que, aceptándolo, se dividen entre los que defienden la continuidad del linaje capeto del Grial por la citada Isabel de Francia, la esposa de Eduardo II de Inglaterra, y los que afirman que los Capetos continuaron por los Valois hasta que, extinguida la línea masculina real, su sucesión recayó en el rey de Francia Enrique de Borbón, cuya primera esposa fue, precisamente, Margarita de Valois, la hija del rey Enrique II de Francia y, por tanto, hermana del último soberano Valois.

Todos estos autores —que aceptan también la rama judía del linaje del Grial— coinciden en que el encuentro de ambas ramas del linaje de la Sangre Real tuvo lugar con el matrimonio del Estuardo Carlos I de Inglaterra y Henriette Marie de Francia, la hija del fundador de la dinastía real de los Borbones, Enrique IV de Francia, por lo que *la convergencia de la jefatura del linaje del Grial se realizó en el hijo de ambos, el rey Jaime II de Inglaterra, quien legó esa jefatura a sus sucesores, encontrándose hoy en el jefe de la Casa real de los Estuardo,* quien, para unos, es el príncipe Miguel de Albany, y, para otros, el duque de Baviera Francis II.

En resumen, teniendo en cuenta las diversas conclusiones anteriores de los diferentes autores, se expresa gráficamente en el siguiente cuadro genealógico la andadura del linaje del Grial o de la Sangre Real, desde su origen, con el rey David de Israel, hasta nuestros días, pasando por el legendario —pero histórico— Perceval o Parsifal.

EL LINAJE DE LA SANGRE REAL (I)

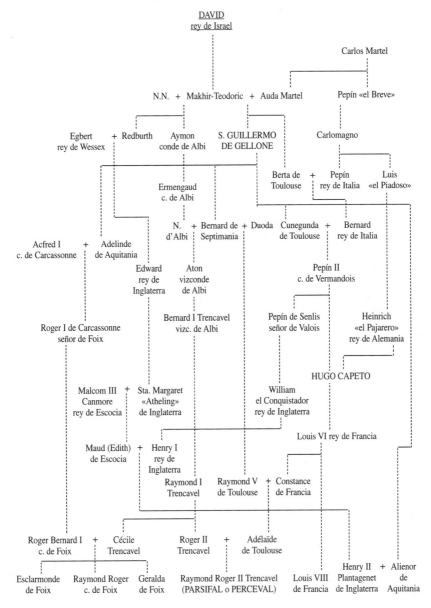

En fin, si se tiene en cuenta este cuadro genealógico del linaje de la Sangre Real, resulta ya posible comprobar el contenido histórico subyacente que había —y que se relataba— en los *romans* sobre el Santo Grial. Para ello, se pueden observar los nombres y apellidos que se dieron en el apartado II.1) de esta obra a las personas que correspondían en la realidad a los personajes que aparecen en esos *romans,* comparándolos con los que se recogen en el cuadro anterior. De esta comparación salen las siguientes equivalencias:

— Bron (cuñado de José de Arimatea) = Makhir Natronai-Teodoric I (Thierry) de Autun, nasi de los judíos de Francia.
— José de Arimatea = Pepín «el Breve» rey de los francos.
— Hermana de José de Arimatea = Auda Martel.
— Hijo de Bron = San Guillermo de Gellone o de Toulouse.
— Gamuret de Anjou = Roger II Trencavel.
— La reina Herzeloyde = Adélaïde de Toulouse.
— Perceval o Parsifal = Raymond Roger II Trencavel.
— El rey Pescador = Raymond Roger conde de Foix.
— La reina del Grial = Esclarmonde de Foix.
— Lohengrin = Roger Raymond III Trencavel o Raymond el Joven.

Por otra parte, se ha de tener en cuenta asimismo que, para los cristianos, el linaje de la Sangre Real se personalizó en Hugo Capeto y en los reyes de Francia que le sucedieron, primero los Capetos y después los Valois, hasta que fue asesinado el último rey de esta dinastía, Enrique III, quien no tenía hijos, por lo que le sucedió su cuñado Enrique de Borbón, descendiente también de los Capetos por el hijo de San Luis IX, Robert, conde de Clermont, y por el vástago de este último, Luis duque de Borbón, como se puede observar en el cuadro genealógico que se expondrá seguidamente, y que muestra la evolución de la Sangre Real desde principios del siglo XIII hasta hoy.

Desde luego, como he demostrado ya en mi citado libro titulado *El origen judío de las monarquías europeas,* los reyes capetos franceses fueron el linaje legitimado para gobernar la Cristiandad, porque en ellos convergían las tres ramas cristianas principales de la estirpe davídico-carolingia, por lo que se consideran sucesores suyos, con prioridad sobre otros descendientes, y por ello tenían *la legitimidad para gobernar por derecho divino.* En consecuencia, *los Capetos han sido* unos reyes cristianísimos que se han creído predestinados por Dios para liderar a los cristianos como reyes del nuevo pueblo elegido, que es toda la Cristiandad.

EL LINAJE DE LA SANGRE REAL (II)

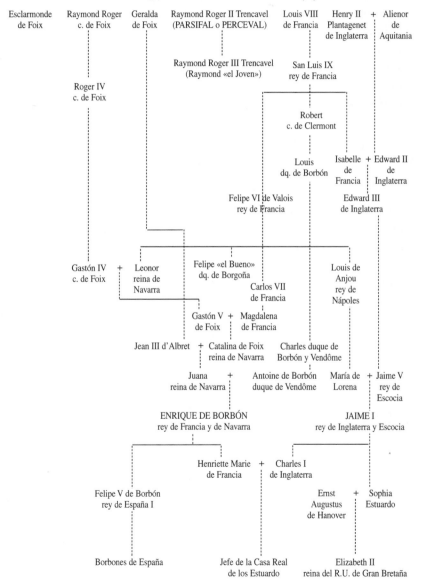

En fin, dada la importancia histórica del predestinado rey de Francia Enrique IV de Borbón, parece conveniente referirse ahora brevemente al jefe del linaje de la Sangre Real. Para ello, recordaremos en primer lugar sus antecedentes familiares próximos, es decir, los de su madre, que son los de los Foix-Bearne y los Albret, así como los de su padre, que son los correspondientes a los Borbones.

En cuanto a los maternos, ya se han relatado los de la familia Foix-Bearne. Respecto a los Albret, se trata de un linaje inicialmente modesto que se remonta al siglo XI, y cuyo señorío tenía algunos cantones de las Landas y de Lot-et-Garonne. En los siglos XIII y XIV incrementaron su señorío con pequeñas adquisiciones territoriales. En el siglo XV se engrandecieron al heredar el Périgord, el Limousin y el condado de Etampes. Pero los Albret adquirieron la realeza cuando Jean III se casó con Catalina de Foix, reina de Navarra. Finalmente, la futura madre de Enrique IV, Jeanne d'Albret, se unió en matrimonio con Antoine de Bourbon, duque de Vendôme, que era descendiente directo del rey capeto San Luis.

La ascendencia paterna del rey Borbón Enrique IV de Francia es bien conocida, excepto el origen de los Borbones, que ha sido ocultado durante muchos siglos, tal vez por su ascendencia judía. En realidad, los Borbones, como otras dinastías europeas, pertenecen a la distinguida familia davídico-carolingia, como se puede observar en el cuadro genealógico que se expone a continuación y que muestra el verdadero origen de los Borbones:

EL ORIGEN DAVÍDICO-CAROLINGIO DE LOS BORBONES

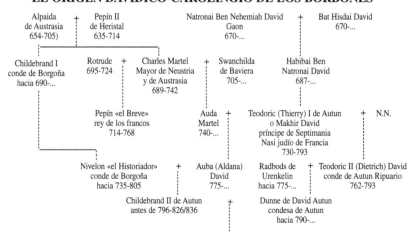

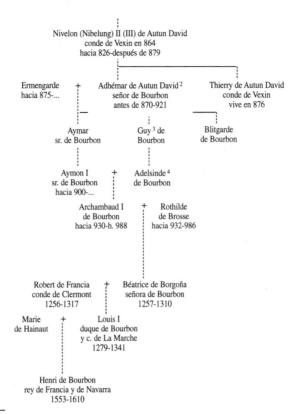

[2] La existencia y la filiación de Adhémar (o Aymar), señor de Bourbon, se encuentra en las siguientes fuentes:

— *Ahnentafel for Edward III of England.*

— P. Grierson: «L'origine des comtes de Amiens, Valois, Vexin», en *Le Moyen Age,* 49, 1939, pág. 86, que dice así: «Nibelung III debe haber sido conde de Vexin. Era miembro de la familia de los Nibelungos; aparece en nuestras fuentes por primera vez en un diploma de 13 de enero de 843 y, por última vez, en un acta de mayo de 879. Tuvo dos hijos, Thierry y Adémar, que son mencionados en un documento en 876 (según dicen M. Prou y A. Vidier en la pág. 66 de su libro *Recuil des chartes de l'abbaye de Saint-Benoît-sur-Loire*). No se sabe cuándo murió, ni si continuó siendo conde de Vexin hasta su fallecimiento o si transmitió ese cargo a alguno de sus hijos, Thierry o Adémar. Lo más probable es que Thierry le haya sucedido (como titular del condado)...».

— L. Levillain: «Les Nibelungen historiques et leurs alliances de famille», en los *Annales du Midi,* t. XLIX, 1937, págs. 394 y 395.

[3] Citado por los genealogistas D. de Rauglaude y Randy Jones.

[4] Citada como hija de Guy de Bourbon, esposa de Aymon I de Bourbon y madre de Archambaud I de Bourbon por el genealogista Randy Jones. Otros genealogistas (Aurejac, D. de Rauglaude...) la denominan Adelsinde de Déols y creen que es hija de Launus de Déols y Arsende de Poitiers.

Si se observa el cuadro anterior pueden deducirse algunas *conclusiones* interesantes sobre el origen histórico remoto de la Casa de Borbón. La primera, obviamente, es la pertenencia de los Borbones al linaje del Grial o de la Sangre Real y a la familia davídico-carolingia. Otra importante conclusión es que ***los primeros Borbones proceden directamente de la Casa de David por dos líneas distintas,*** *a diferencia de* ***otras dinastías europeas que resultan de un solo linaje davídico.***

En efecto, *el primer señor de Borbón de esta familia, Adhémar (o Aymar) de Autun David, es tataranieto de Teodoric-Makhir,* del que desciende *tanto por Auba (Aldana), una hija del nasi judío de Francia, como por uno de sus primeros hijos, Teodoric II (Dietrich), conde de Autun Ripuario, que había nacido en Bagdad de madre hebrea el año 762,* o sea, seis años antes de la llegada de Teodoric-Makhir a Francia.

Teodoric II (Dietrich), que era judío tanto por línea paterna como materna, murió a los 31 años de edad, a la vez que su padre, en julio de 793, guerreando en Pannonia al servicio de Carlomagno; pero dejó una hija, Dunne de David Autun quien más adelante se casó con Childebrand II de Autun, que era hijo del *pipínido carolingio* Nivelon «el Historiador», conde de Borgoña, primo hermano del rey Pepín «el Breve», así como de Auba (Aldana), hija de Teodoric-Makhir. Este matrimonio tendría *un vástago, que se llamó Nivelon III de Autun David, quien,* si se tienen en cuenta las filiaciones que aparecen en el cuadro genealógico, *era de Sangre Real davídica en, aproximadamente, tres cuartos, siendo su cuarto restante de sangre carolingia.*

Por ello, *Adhémar (o Aymar) de Autun David* (un hijo de Nivelon III), quien fue *el primer señor de Bourbon,* en el centro de Francia, *era más davídico que carolingio, lo que confirma que los Borbones —en mayor medida aún que los Saboyas— tenían inicialmente más sangre davídica que cualquier otra Casa Real europea.*

En fin, los descendientes de Adhémar (o Aymar) continuaron por su hijo Aymon (que tenía el mismo nombre hebreo que el de un hijo de Teodoric-Makhir) y por su nieto Archambaud I de Borbón hasta el siglo XIII, cuando Béatrice de Borgoña, señora de Borbón, se unió en matrimonio a Robert de Francia, un hijo de San Luis.

Posteriormente, por los sucesivos duques de Borbón descendientes de Adhémar, se llega por su línea paterna hasta Enrique de Borbón, rey de Francia y de Navarra, quien como se sabe fue el jefe del linaje del Santo Grial.

Por otra parte, respecto a *las características de los Borbones antecesores inmediatos del rey Enrique IV de Francia*, Georges Bordonove ha dicho lo siguiente:

> Los Borbones, que proceden del conde Robert de Clermont, quinto hijo de San Luis, se han desarrollado a la sombra protectora de los Capetos. Primos de los reyes, han aumentado sus posesiones no por grandes hechos de armas, sino humildemente, pacientemente: por hábiles enlaces matrimoniales y por desempeñar altos cargos. La dinastía de los Valois no parecía estar próxima a extinguirse cuando Antoine de Borbón se casó con Jeanne d'Albret: pero sí que era la ocasión para él de ceñirse una corona, la de Navarra, más nominal que efectiva, aunque era una apreciable promoción. La muerte sucesiva de los tres últimos Valois... dio acceso al trono (de Francia) a su hijo [5].

En cuanto al propio Enrique de Borbón, parece premonitorio que hubiese nacido una nochebuena: el 24 de diciembre de 1553, en el castillo que su familia tenía en Pau (Francia), donde pasó su infancia. Los historiadores suelen enjuiciarlo muy positivamente, como hombre de concordia, valiente pero pacífico. Veamos la semblanza que del primer rey Borbón dan algunos autores.

Comencemos por el historiador navarro Carlos Claveria, quien subraya [6] que:

> Tan pronto es proclamado rey de Navarra Enrique III, se allanan las dificultades. Así en 1585 declara: «que siendo en la Baja Navarra predominante la religión católica romana, él no ha de innovar, ni alterar su ejercicio y que por tanto solamente en dos lugares (Saint-Palais y Ostabat) podrá practicarse la religión reformada.
>
> Esta es, por otra parte, la primera medida y la primera experiencia de la tolerancia religiosa, que Enrique inaugura algunos años más tarde con mayor amplitud en el reino de Francia, llevando a cabo una política de conciliación que desembocará en el Edicto de Nantes (1598), concediendo la igualdad civil a católicos y hugonotes...

[5] *Ob. cit.*, págs. 14 y 15.
[6] *Ob. cit.*, págs. 353 y 354.

Fue educado en la religión calvinista por su madre Juana de Albret, y a la edad de dieciséis años se batió en Jarnac y Moncontour. Fue uno de los hombres más bravos, abiertos y amables que han existido; su blanca pluma ondulaba siempre en lo más recio de la batalla; su atractivo porte, la presencia externa de un alma en tantos sentidos noble y caballeresca, le dieron entrada en todos los corazones...

Aceptado como rey de Francia, mostró el mejor lado de su carácter, mirando por los intereses de su pueblo, lo que ha hecho grata su memoria. Su preocupación fue restablecer una paz duradera y sólida prosperidad en un país donde la autoridad real había decaído grandemente y sufrido largo tiempo las peores pasiones, engendradas por la guerra civil. Su primer objetivo fue reconciliar los partidos religiosos en pugna.

De este último párrafo puede deducirse que Enrique de Borbón tuvo un comportamiento digno de un *sirviente del Santo Grial* por ser el jefe del linaje de la Sangre Real, procurando siempre sacrificarse para conseguir el bienestar y la paz de la nación francesa. Enrique IV se comportó como un verdadero *rey del Grial* pues, como ha subrayado —en el párrafo final de su libro— Laurence Gardner [7], «... Jesús sabía muy bien lo que hacía cuando lavó los pies de sus discípulos durante la Última Cena, estaba dando ejemplo de lo que debe ser el reino de un verdadero rey del Grial, un reino de *igualdad y servicio* (o sea, el reino de Dios). Este es el precepto eterno del *Sangréal,* presente en la tradición del Grial con toda claridad: solo preguntándose "¿A quién sirve el Grial?" podrá el rey pescador sanar de sus heridas y el erial tornarse fértil».

A su vez, el ya citado Georges Bordonove subraya [8] que de su abuelo Enrique II d'Albret:

... heredó Enrique IV sus cualidades esenciales: la bondad instintiva, la sencillez natural, la carencia de arrogancia, el arte y el gusto de la popularidad, el sentido de la felicidad, en una palabra el carácter de los gentileshombres campesinos de la antigua Francia. Pero su excesiva inclinación por las mujeres no le viene del viejo Albret. Es cierto

---

[7] *Ob. cit.,* pág. 345.
[8] *Ob. cit.,* págs. 26 y 27.

que, en lo que se refiere a amoríos, Antonio de Borbón no tenía nada que aprender de su suegro, pues sus aventuras amorosas escandalizaron (¡casi!) a una corte bien disoluta. Pero de su padre, el Borbón Enrique IV, no heredó solamente la lujuria; de él tenía también la bravura un poco alocada e, incluso, en ciertas circunstancias el comportamiento temerario...

Antonio de Borbón no era perseverante, carecía de voluntad... A primera vista, su hijo —que cambió seis veces de religión— parecía haberle imitado. Pero los cambios bruscos de Enrique IV resultaban de necesidades imperiosas, no de su carácter. Por lo demás, si Enrique IV se parece a su padre, esta identidad es superficial. En realidad, él tenía, por su madre, una voluntad inflexible, un corazón fogoso pero moderado por la razón y una tenacidad excepcional, lo que explica sus éxitos. Pero, sin duda, debía más aún a Juana d'Albret: la certeza de que accedería al máximo poder y de que tendría un gran destino.

Desde luego, su madre le transmitió no solo su pertenencia al linaje del Grial, sino las virtudes necesarias (con algunos defectos, que lo humanizaban y popularizaban) para llegar a ser el jefe de la estirpe de la Sangre Real y el fundador de una perdurable dinastía que, paradójicamente, lleva el apellido de su padre: los Borbones.

A su vez, la historiadora Susana Herreros Lopetegui ha dicho que Enrique IV de Francia, el vástago de los Albret [9], «... recibió de su madre no solo la herencia de un dilatado patrimonio, sino la obligación de erigirse en nuevo cabecilla del bando hugonote. Enrique, dotado de la tolerancia que le faltó a su madre, quiso templar la convivencia entre los gascones y ordenó les fueran devueltos a los clérigos católicos los bienes confiscados. Sin embargo, esto no les pareció suficiente y solicitan continuamente a Enrique III (de Navarra) que declare como única y legítima religión la católica.

Embarcado de lleno en el problema sucesorio del trono de Francia, deja el gobierno de sus territorios patrimoniales en manos de su hermana Catalina, casada con Enrique de Lorena... (Al ser asesinado el último rey Valois) quedó como único aspirante a ocupar el trono de Francia (1589).

---

[9] Susana Herreros Lopetegui, «El reino de la Baía Navarra», en *Historia de Navarra,* Kriselu, San Sebastián, 1990, págs. 260 y 261.

Enseguida surgirá el problema de la incorporación de sus tierras patrimoniales a la corona francesa... La Baja Navarra, Bearne, Donnezan y el país de Andorra gozaban de una "soberanía" independiente de la corona francesa. Enrique IV de Francia quiso mantener la independencia de estos territorios "soberanos"... (Finalmente) todas las posesiones del monarca francés son incorporadas a la corona a excepción del Bearne y de la Baja Navarra...», que lo serán también en 1620, cuando reinaba ya Luis XIII en Francia.

Por supuesto, el predestinado Enrique, el primogénito de los Albret-Bourbon, tuvo que recorrer un largo y conflictivo camino antes de conseguir el trono de Francia, pero su fecunda andadura fue siempre difícil, desde su mayoría de edad hasta el día en que fue asesinado por un demente, como lo ha puesto de manifiesto perspicazmente Georges Bordonove [10]:

> ... Enrique estaba destinado, en principio, a reinar solamente sobre el pequeño reino de Navarra, el principado del Bearne y sus dependencias, pero no a convertirse en rey de Francia. Fueron necesarias las terribles guerras de Religión y la muerte sucesiva de los cuatro últimos Valois, para que llegase a alcanzar el trono. Tras el asesinato de Enrique III, en 1589, Enrique IV, primer rey de la dinastía de los Borbones, era un hombre maduro, y un capitán y un político experimentado; tenía entonces treinta y seis años. Rey de derecho, por aplicación de la vieja Ley Sálica, que era rechazada por los católicos, es decir, por la inmensa mayoría de la nación, tuvo que reconquistar su reino, provincia por provincia, ciudad por ciudad. Tuvo que abjurar también de la religión reformada para entrar en París y comenzar su verdadero reinado. Era 1594; tenía cuarenta y un años. En seguida venció a los españoles y, tras la firma del edicto de Nantes, puso punto y final a las luchas religiosas. Así había salvado a la nación de la ruina y del desmembramiento. Disponía de diez años para casarse y tener un heredero, y para devolver a Francia su prosperidad y su rango en Europa. Estas hazañas las llevó a cabo sin esfuerzos aparentes. Había adquirido, a lo largo de su lenta ascensión, una incomparable experiencia de los hombres y de las cosas, lo que le dio a su carácter realismo y generosidad. La fama que adquirió de ser persona de buena ley le dio popularidad y

---

[10] *Ob. cit.,* pág. 10.

reunió en torno suyo, momentáneamente, a los franceses de buena voluntad, amigos y enemigos. En consecuencia, el cuchillo de Ravaillac, en aquel mediodía de 1610, no desgarró solamente un cuerpo de rey, sino la esperanza de todo un pueblo.

Así acabó la azarosa vida del *davídico Enrique, fundador de la perdurable dinastía de los Borbones y jefe de la estirpe de la Sangre Real,* es decir, ***sucesor y heredero del rey David.***

Enrique de Borbón fue un jefe ejemplar del linaje de la Sangre Real, pues dedicó su vida al servicio de *todo* su pueblo, cristianos o no, protestantes o católicos, pues sabía que solo siendo un buen *sirviente del Grial* llegaría a ser un digno *rey del Grial,* capaz de traer la paz y la prosperidad a su reino.

Desde luego, Enrique IV supo conseguir la felicidad y la gloria terrena, ofrendándose plenamente al servicio de *su* Navarra y de Francia como un auténtico *rey del Santo Grial.* Por ello, su obra y su linaje son verdaderamente perdurables.

La continuidad entre los reyes de Israel y de Judá, y sus descendientes los reyes de Francia, ha sido puesta de manifiesto por algún historiador bien documentado, como Jean Hani, quien ha afirmado que *los reyes de Francia son descendientes del rey David de Israel* y que, *por ello, en las catedrales francesas principales suele verse en su fachada la galería de los reyes con las estatuas de los monarcas de Israel y de Judá.* En efecto, Jean Hani dice [11] literalmente lo siguiente: «En la fachada de la catedral de Reims, catedral de la coronación (de los reyes de Francia), están esculpidas simétricamente las escenas del bautismo de Clodoveo, la coronación de David por Samuel y la historia de Salomón. Por lo demás, en casi todas las catedrales ofrece la fachada la *galería de reyes,* que muestra *la ascendencia davídica de los reyes de Francia».*

En definitiva, la familia real de los davídico-carolingios se ha ido perpetuando durante siglos hasta hoy mediante sucesivas dinastías de la misma estirpe originaria: a los Carolingios imperiales les sucedieron, en Alemania, los emperadores sajones, los Otones; y en Francia

---

[11] Jean Hani, *La realeza sagrada,* Ediciones de Sophia Perennis, José J. de Olañeta, editor, Palma de Mallorca, 1998, pág. 187.

la dinastía de los Capetos que, como ha subrayado Ricardo de la Cierva [12], «... se ha prolongado después a través de las Casas de Valois y de Borbón. Todos los reyes de Francia posteriores, así como los reyes de España a partir de Felipe V en 1700, se consideran miembros de la dinastía de Hugo Capeto, cuyo último representante en la actual realeza europea es don Juan Carlos I de Borbón».

En los reyes Borbones de España, que son descendientes de Hugo Capeto y de Enrique IV de Francia, parece encontrarse la sucesión biológica directa de esas dinastías, por lo que en ellos *se hallaría actualmente la herencia del linaje de la Sangre Real y la jefatura de la real Casa de David,* como ya he expuesto en mi citado libro [13]. Pero también corre por los Estuardo la sangre procedente de Hugo Capeto y la del cátaro-judío Trencavel, el legendario *Parsifal* —a través de Enrique IV de Francia y su hija Henriette Marie—, por lo que algunos concluyen que *el verdadero heredero del linaje del Grial es el davídico jefe de la Casa Real de los Estuardo.*

---

[12] Ricardo de la Cierva, *Templarios: La historia oculta,* Editorial Fénix, Madrid, 1998, págs. 58 y 59.

[13] Joaquín Javaloys, *El origen judío de las monarquías europeas,* Edaf, Madrid, 2000, páginas 193 a 198.